W9-CPE-121

rowohlts monographien
begründet von Kurt Kusenberg
herausgegeben
von Wolfgang Müller und Uwe Naumann

Simone de Beauvoir

mit Selbstzeugnissen
und Bilddokumenten
dargestellt von
Christiane Zehl Romero

Rowohlt

Dieser Band wurde eigens für «rowohlts monographien» geschrieben
Den Anhang besorgte die Autorin
Herausgeber: Kurt Kusenberg · Redaktion: Beate Möhring
Schlußredaktion: K. A. Eberle
Umschlagentwurf: Werner Rebhuhn
Vorderseite: Simone de Beauvoir
(Foto: Gisèle Freund)
Rückseite: Mit Jean-Paul Sartre
(Deutsche Presse Agentur, Frankfurt a. M.)

Veröffentlicht im Rowohlt Taschenbuch Verlag GmbH,
Reinbek bei Hamburg, Oktober 1978

Satz Times (Linotron 505 C)
Gesamtherstellung Clausen & Bosse, Leck
Printed in Germany
ISBN 3 499 50260 7

15. Auflage Januar 2001

Inhalt

Eine Tochter aus gutem Hause 7
Freiheit und Bindung 31
Die Andere 45
Krieg und Okkupation 53
Die moralische Phase 65
Die Öffnung der Welt 85
«Die Mandarins von Paris» 98
Die Frau 120
Das Alter 128

Anmerkungen 137
Zeittafel 143
Zeugnisse 145
Bibliographie 149
Namenregister 157
Über die Autorin 159
Quellennachweis der Abbildungen 159

Simone de Beauvoir

Eine Tochter aus gutem Hause

Simone de Beauvoir wurde am 9. Januar 1908 in Paris, Boulevard Montparnasse geboren. Ihre Eltern, Georges und Françoise de Beauvoir, hatten erst ein Jahr zuvor geheiratet. Sie waren gutsituiert und glücklich; ihre Mutter war *heiter und stolz darauf, ein erstes Kind zur Welt gebracht zu haben. Sie unterhielt zu mir zärtliche, liebevolle Beziehungen. Eine zahlreiche Verwandtschaft drängte sich um meine Wiege. Ich nahm die Welt vertrauensvoll in mich auf.*[1*] Später, in ihren Lebenserinnerungen und in Interviews, betonte Simone de Beauvoir immer wieder, wie entscheidend das Gefühl von Sicherheit, Wärme und persönlicher Wichtigkeit, das man ihr in der Kindheit vermittelt hatte, für ihre weitere Entwicklung wurde. Rückblickend glaubte sie auch, daß die lächelnde Nachsicht, mit der man den Launen des kleinen Mädchens begegnet sei, den *Anspruch, den ich von Anfang an erhob und den ich nie aufgegeben habe*, wesentlich gefördert habe, *den Anspruch, stets bis zum Äußersten für meine Wünsche, Weigerungen, Handlungen und Ideen zu kämpfen. Man fordert nur, wenn man darauf rechnet, von den anderen und von sich selbst zu erlangen, was man gefordert hat: nur durch Fordern aber erreicht man es. Ich blicke dankbar auf meine ersten Jahre zurück, weil sie mir diese extreme Veranlagung aufgeprägt haben.*[2]

Obwohl der Vater, ein Jurist, das Adelsprädikat «de» führte und sich in seinem Geschmack und seinen dilettantischen Neigungen eher zur Aristokratie hingezogen fühlte als zum Bürgertum, dessen Fleiß und Trockenheit er verachtete, dessen Konventionen er aber vollkommen akzeptierte, gehörte die Familie Beauvoir dem Vermögen, den Beziehungen und dem allgemeinen Lebensstil nach zur französischen Bourgeoisie, derjenigen Klasse also, die die erwachsene Simone, wie so viele französische Intellektuelle gleicher Herkunft, unbarmherzig bekämpfte. Nach dem Ersten Weltkrieg, durch den der Vater einen Großteil seines in russischen Aktien angelegten Vermögens verlor (die Mitgift der Mutter hatte schon deren Vater verspekuliert), wurden die Beauvoirs allerdings zu *neuen Armen* und lebten seit Simones elftem Lebensjahr in beschränkten Umständen, jedoch keineswegs in wirkli-

* Die hochgestellten Ziffern verweisen auf die Anmerkungen S. 137f.

Die kleine Simone im Kreis der Familie

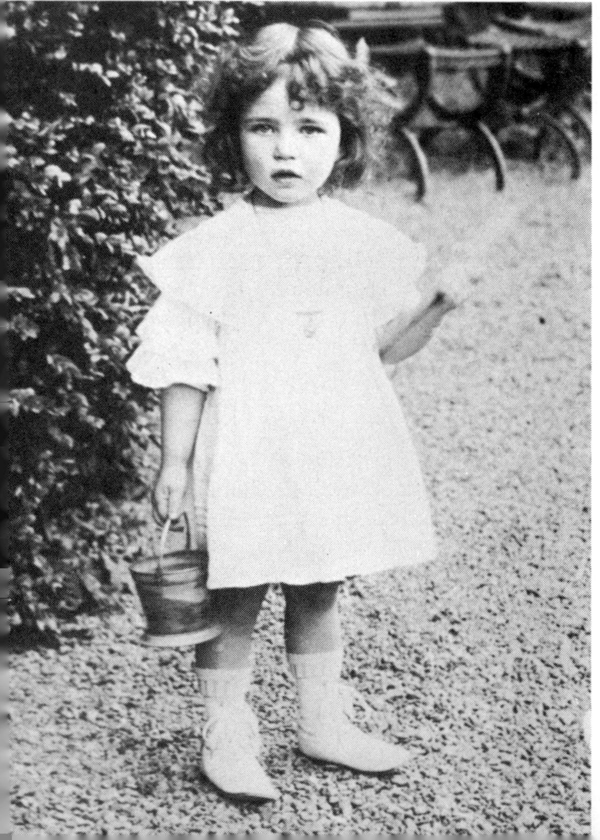

Drei Jahre alt

cher Armut. Man zog in eine bescheidenere Wohnung, Rue de Rennes, die Mutter behalf sich ohne Mädchen – und litt sehr unter der Last der Hausarbeit –, überall und an allem wurde gespart. Für Simone waren die materiellen Veränderungen manchmal unangenehm – so wünschte sie sich zum Beispiel glühend ein eigenes Zimmer –, aber nicht so einschneidend, daß sie ihre innere Sicherheit erschüttert hätten. Die bürgerlichen Konventionen, die Vater und Mutter trotz aller Verschiedenheiten fest verbanden, wurden im Kreis und unter den Augen einer weitläufigen Verwandtschaft und vieler Bekannter aufrechterhalten und eifrig gepflegt. Sie garantierten der kleinen Simone ein geordnetes Leben und der Heranwachsenden einen leicht identifizierbaren Gegner.

Von entscheidender Bedeutung war es für sie, daß Geldknappheit ihre Eltern veranlaßte, *größeren Wert* zu legen *auf kulturelle Werte als auf Ausgaben, die nur dem äußeren Ansehen dienten . . . Als Hauptunterhaltung boten meine Eltern mir Lektüre, ein Vergnügen, das nicht sehr kostspielig war.*[3] Sie entwickelte jene leidenschaftliche Liebe für Bücher, für Ideen, für Kultur im allgemeinen, die ihr ganzes weiteres

Die Eltern beim Theaterspielen

Die Kirche St. Germain-des-Prés

Leben bestimmte. Gleichzeitig lernte sie, mehr als ihre Eltern es letzten Endes wünschten, äußerem Ansehen wenig Wichtigkeit beizumessen. Der Glanz, die Üppigkeit und später der Konsum, den ihr das wohlhabende Bürgertum und die mondäne Welt entgegenhielten, stießen bei ihr stets auf verächtliche Ablehnung. Im Grunde blieb Simone de Beauvoir den einfachen, strengen Lebensgewohnheiten, die sie als Kind annehmen mußte, aber auch wollte, treu. Fleißige Arbeit und hauptsächlich geistige Freuden erfüllten ihre Tage.

So tief Simone de Beauvoir dem besonderen bürgerlichen Milieu ihrer Kindheit – selbst noch in der Revolte – verbunden blieb, so fest verwurzelt war sie auch geographisch: *Die ersten zwanzig Jahre meines Lebens habe ich in einem großen Dorf zugebracht, das sich vom Löwen von Belfort bis zur Rue Jacob, vom Boulevard Saint-Germain bis zum Boulevard Raspail erstreckte, dort wohne ich noch heute*[4], schreibt sie in den frühen sechziger Jahren. Sie war mit Leib und Seele nicht einfach Pariserin, sondern «Ureinwohnerin» jener Viertel, Montparnasse und St. Germain-des-Prés, die im Laufe ihres späteren Lebens als Künstler- und Intellektuellenviertel berühmt wurden, in denen aber ursprünglich und weiterhin auch das Bürgertum zu Hause war. Simone de Beauvoirs Memoiren sind unter anderem eine lebendige, wenn auch natürlich nicht vollständige Chronik des Lebens und Treibens ihres für die kulturelle Geographie des 20. Jahrhunderts so bedeutsamen «Heimatdorfes». Simone kannte diese Viertel wie kein anderer. Als Kind war sie zu Besuchen in den Bürgerhäusern, zur Andacht in den Kirchen, zum Spielen in den Parks. Sie ging hier zur Schule und auf die Universität. Als Studentin lernte sie die Cafés, Bars, Restaurants und Nachtlokale

Paris: Boulevard Raspail

Meyrignac, das Gut des Großvaters

Aufbruch der Familie Beauvoir von La Grillère nach Meyrignac

kennen. Als unabhängige Frau lebte sie in vielen der zahlreichen kleinen Hotels. Von hier aus und immer wieder hierher zurückkehrend erkundete sie den Rest von Paris und die übrige Welt.

Das Kind Simone liebte das Stadtleben, seine Pflichten und Unterhaltungen. *In Paris*, erzählt sie, *hungerte ich nach menschlicher Gegenwart.*[5] *Am Nachmittag blieb ich lange auf dem Eßzimmerbalkon in Höhe der Wipfel sitzen, die dem Boulevard Raspail ihren Schatten spendeten, und sah den Vorübergehenden nach . . . Ihre Gesichter, ihre Gestalten, der Ton ihrer Stimmen fesselten mich.*[6] Auch später, nun von ihrem Cafétisch aus, beobachtete Simone de Beauvoir gern den Trubel der anonymen oder ihr nur vom Sehen bekannten Menschen um sie her. Er faszinierte sie stets von Neuem, denn, so meinte sie: *Die Wahrheit einer Stadt liegt in ihren Bewohnern.*[7]

Auf dem Lande dagegen *machte es mir wenig aus, zu einem Einsiedlerdasein gezwungen zu sein: die Natur war mir mehr als genug*[8]. Die Familie Beauvoir hielt sich, wie das in ihren Gesellschaftskreisen üblich war, jeden Sommer auf dem Lande auf, im Limousin, in Meyrignac, dem Gut des Großvaters väterlicherseits, und in La Grillère, dem Schloß, auf das die Schwester des Vaters geheiratet hatte. Hier genoß Simone, die in Paris ein streng reglementiertes Leben führte, die Freiheit, selbst über ihre Tage verfügen und sie fern vom *abgesperrten Raum* und der *verknöcherten Zeit der Erwachsenen*[9] in der Natur verbringen zu können. *Die Natur enthüllte mir in sichtbarer und greifbarer Gestalt eine Menge von Formen des Lebens, denen ich sonst nie näher gekommen wäre.*[10] Sie lehrte Simone auch zu schauen: *Meine Ferien bewahrten mich davor, die Freuden der Betrachtung mit Langeweile zu verwechseln. In Paris, in den Museen, kam es vor, daß ich mich selbst betrog; aber ich kannte doch den Unterschied zwischen erzwungener Bewunderung und aufrichtiger Ergriffenheit. Ich lernte auch, daß man, um in das Geheimnis der Dinge einzudringen, sich ihnen zuvor hingeben muß . . . Um . . . ein Eckchen der Landschaft mir wirklich zu eigen zu machen, streifte ich Tag für Tag durch die Hohlwege hin und stand stundenlang unbeweglich am Fuße eines Baumes: dann rührte wirklich jede Schwingung der Luft, jede Nuance des Herbstes mich an.*[11] Ihr ganzes Leben sollte Simone de Beauvoir diesen Hang zum Herumwandern und zum aktiven, besitzergreifenden Schauen, den sie als Kind auf dem Lande entwickelt hatte, beibehalten und nähren. Der Rhythmus der Kindheit, das Hin und Her zwischen der festgefügten, klar überschaubaren Existenz in der vollkommen vertrauten Großstadt und den Entdeckungs-, ja Eroberungsreisen in andere Welten, wurde zum bestimmenden Rhythmus ihres gesamten Daseins.

Simone und ihre um zwei Jahre jüngere Schwester Hélène (Poupette genannt) erhielten eine streng katholische Erziehung. Ihre Mutter, eine Bankierstochter aus der Provinz, war im Kloster geformt worden und tief religiös. Der Vater, selbst Agnostiker, fand es ganz richtig, daß die Mädchen seiner Frau folgten. Früh schon lernte Simone trennen zwischen dem seelischen Bereich, in dem Gott und ihre Mutter zu Hause waren, und dem geistigen, den ihr wegen seiner Brillanz bewunderter Vater mit seinen weltlichen Interessen – Literatur und Politik – vertrat. Da sie als Kind zu beiden Sphären gehören wollte, beobachtete sie zwischen den unverbunden nebeneinanderstehenden Werten eines gläubigen und eines ungläubigen Elternteils einen Gegensatz, der niemanden zu stören schien, sie jedoch schließlich, wie sie meint, *zur Auflehnung treiben mußte.* Er erklärt in ihren Augen *zum großen Teil, daß eine Intellektuelle aus mir geworden ist*[12]. Die für ihre Zeit und Gesellschaft ganz normale, in ihrer Familie und für sie jedoch beson-

Simone (rechts) mit der Mutter und der Schwester Poupette

ders augenfällige Unterscheidung zwischen einer weiblichen und männlichen Welt beeinflußte aber auch, wie wir noch sehen werden, Simone de Beauvoirs Haltung in allen Fragen der Frau entscheidend.

Als kleines Mädchen fühlte sich Simone bei der Mutter und bei Gott noch sicher und geborgen: *Sobald ich gehen konnte hatte Mama mich in die Kirche mitgenommen; sie hatte mir, in Wachs, aus Gips geformt, an die Wände gemalt, die Bilder des Jesuskindes, des Herrgotts, der Jungfrau Maria, der Engel gezeigt . . . An meinem Himmel standen sternengleich Myriaden wohlwollender Augen.*[13]

Sie war ein frommes und braves Kind. Gewissenhaft erfüllte sie alle Pflichten einer guten Katholikin, betete morgens und abends gemeinsam mit der Mutter, ging regelmäßig zur Messe, Beichte und Kommunion. Doch hatte sie in der Stadt eher das Gefühl, daß Gott sich hinter den Menschen und deren Werken verbarg. Auf dem Lande, in der Natur, hingegen offenbarte er sich unmittelbar und lebendig; *hier sah ich Gräser und Wolken so, wie er sie dem Chaos abgewonnen hatte, sie trugen seine Spur. Je mehr ich mich an den Boden heftete, desto näher kam ich ihm, so daß jeder Spaziergang zu einem Akt der Anbetung wurde.*[14] Ihre Anbetung war, charakteristisch für Simone de Beauvoir, nicht demutsvoll und passiv. In der Natur fühlte sie besonders deutlich, wie sehr Gott sie in ihrer Einzigartigkeit brauchte: *Er kannte alle Dinge auf seine Art, das heißt absolut. Aber es kam mir doch vor, als brauche er gewissermaßen meine Augen, damit die Bäume Farbe bekämen. Der brennende Sonnenglast, die kühle Frische des Taus – wie konnten sie von einem reinen Geist verspürt werden außer durch das Mittel meines Körpers? Er hatte diese Erde für die Menschen geschaffen, die Menschen aber, damit sie Zeugnis von ihrer Schönheit ablegten: die Mission, mit der ich mich immer schon auf unbestimmte Weise betraut gefühlt hatte, war mir von ihm zugewiesen worden . . . Wenn der Schöpfung meine Gegenwart fehlte, glitt sie in dumpfen Schlummer zurück; in dem ich sie weckte, oblag ich meinen heiligsten Pflichten.*[15] Aber gerade der Körper, der sie mit Gott verbunden hatte, führte die vierzehnjährige Simone, die einmal mit dem für sie kennzeichnenden Extremismus daran gedacht hatte, nicht nur ins Kloster, sondern gleich in ein Karmeliterkloster zu gehen, schließlich auch weg von ihm.

Eines Abends in Meyrignac, berichten die Memoiren, *stützte ich mich wie so oft schon mit dem Ellbogen auf mein Fensterbrett; Stallgeruch stieg zum dunstigen Himmel auf; mein Gebet erhob sich kraftlos und sank dann wieder in sich zusammen. Ich hatte eine Stunde damit zugebracht, die verbotenen Äpfel zu verspeisen und in einem ebenfalls verbotenen Balzac-Band von dem seltsamen Liebesidyll eines Mannes mit einer Pantherkatze zu lesen; vor dem Einschlafen gedachte ich, mir selbst noch sonderbare Geschichten zu erzählen, die mich in sonderbare Zustände versetzen würden. «Das ist Sünde», sagte ich mir. Es war mir unmöglich, mich länger selbst zu betrügen . . . Mit einemmal war ich mir klar darüber, daß nichts mich zum Verzicht auf die irdischen Freuden vermögen würde. «Ich glaube nicht mehr an Gott», sagte ich mir ohne allzu großes Erstaunen. Es war vollkommen klar: wenn ich an ihn geglaubt hätte, wäre ich nicht freudigen Herzens bereit gewesen, ihn zu beleidigen. Ich hatte immer gedacht, daß im Vergleich zur Ewigkeit diese*

Mit Mutter und Schwester *Rechts: Die brave Simone*

Welt nicht zählte; sie zählte jedoch, denn ich liebte sie ja; statt dessen wog auf einmal Gott nicht mehr schwer genug.[16] Für sie gab es nur ein Entweder-Oder; *es war mir leichter, eine Welt ohne Schöpfer zu denken, als einen Schöpfer, der mit allen Widersprüchen der Welt beladen war*[17]. Und dabei blieb es für Simone de Beauvoir: *In meinem Unglauben wurde ich niemals schwankend*[18], beteuert sie immer wieder. Sie bewahrte sich jedoch den Ernst, die Unbedingtheit und strenge Verantwortlichkeit einer Gläubigen, die Christen, und vor allem Katholiken, oft an ihr fasziniert haben, obwohl ihre Werke auf den Index der Kirche kamen und von katholischer Seite auch scharf genug angegriffen wurden.

Aus der Perspektive der erwachsenen Frau und ihrer philosophischen und sozialen Ideen bedeutete der Verlust des Glaubens für die Vierzehnjährige einen ersten, wichtigen Schritt zu der Befreiung von den Fesseln, die Kindheit, Geschlecht und Gesellschaftsklasse um sie gelegt hatten. Zunächst führte er jedoch in einen Lebensabschnitt, der im Gegensatz zur glücklichen Kindheit krisenhaft und traurig war, *die einzige Periode meines Lebens, an die ich noch heute mit Bedauern zurückdenke*[19].

Die Schule, die die Mutter für Simone auswählte, war selbstverständlich eine konfessionelle. Schon mit fünfeinhalb Jahren kam sie auf ein katholisches Mädcheninstitut, die Cours Désir in der Rue Jacob, und blieb da bis zum «baccalauréat», dem französischen Abitur. Sie liebte die Schule; hier hatte sie ihren für sie allein bestimmten Platz und eine nur ihr übertragene Verpflichtung, der sie mit größtem Eifer und Erfolg nachkam. Abgesehen von einigen kleineren Revolten gegen ihre Lehrerinnen, deren Mangel an Bildung und Intelligenz sie im Laufe der Jahre immer deutlicher bemerkte, war sie eine Musterschülerin. Ja, man hat oft spöttisch herablassend bemerkt, daß sie nie aufhörte, eine Musterschülerin zu sein, und das ganze Leben zur Schule machte.[20] Tatsache ist, daß ihr Lernen und Bücher unendlich viel bedeuteten, daß die Lebensgier, die sie sich immer wieder zuschreibt, zu einem großen Teil Wissensgier war, und daß ihr das Aneignen von Wissen stets als etwas sehr Aktives, Totales erschien, eine Lebensaufgabe und ein fast sinnliches Vergnügen. *Waren wir wieder in Paris*, heißt es zum Beispiel von der kleinen Simone und ihrer Freude an der Schule, *so wartete ich fieberhaft auf den Wiederbeginn des Unterrichts. Ich ließ mich... in einem Ledersessel nieder und genoß es, wenn ich die neuen Bücher mit einem knackenden Laut auseinanderbiegen, ihren Geruch einatmen, die Bilder, die Karten betrachten und eine Seite Weltgeschichte überfliegen konnte.*[21] Am besten gelang Simone der französische Aufsatz, und sie gab sich schon früh, allerdings nur gelegentlich, mit Schreibversuchen ab. Im Grunde konnte sie in der Schule alles, was sie wollte, weil sie Arbeitseifer, Ausdauer,

Mit der Schulklasse. Cours Désir, Juni 1925. Simone: erste Reihe, ganz links

Disziplin und Zielstrebigkeit besaß. In dem Sinne, in dem sie diese Eigenschaften weiterentwickelte und ihr ganzes Leben darauf baute, legte Simone de Beauvoir wirklich nie *das Gewand der guten Schülerin*[22] ab.

Daß es auch noch andere, vielleicht bewundernswertere Seinsmöglichkeiten gab, erfuhr sie als Kind in einer Schulmädchenfreundschaft, deren Eindruck so tief und bleibend war, daß die erwachsene Autorin immer wieder vergeblich versuchte, die Gestalt und das Schicksal der Jugendfreundin in einem Roman auch für andere lebendig und unvergeßlich zu machen. Schließlich gelang es ihr wenigstens in Form einer Erinnerung, in den *Memoiren einer Tochter aus gutem Hause*, der Geliebten ein bewegendes Denkmal zu setzen.

Elizabeth Mabille, Zaza genannt, stammte aus einer streng katholischen, hochangesehenen, kinderreichen Familie. Sie war vielfältig begabt und wesentlich unabhängiger und natürlicher als die mustergültige Simone, die der gleichaltrigen, aber in allem außer den Schulleistungen überlegenen Freundin eine *fanatische Zuneigung*[23] entgegenbrachte, ohne auf Gegengefühle von gleicher Stärke zu rechnen. Diese Liebe ließ Simone in ihrem zehnten Lebensjahr, dem Beginn der Freundschaft, *das Vergnügen geistigen Austauschs und täglichen Einanderverstehens*[24] kennenlernen, das ihr zu einem steten, unbedingten Bedürfnis werden und die Form ihrer späteren Verhältnisse – mit Sartre vor allem – bestimmen würde. Sie bewahrte sie auch vor der *Arroganz*[25], zu

Simone (links) und Zaza (Mitte)

der sie in ihrer Sicherheit und Selbstzufriedenheit als Kind neigte. Zazas ausgeprägter Persönlichkeit gegenüber wurde sich Simone ihrer Individualität eigentlich erst bewußt, und zwar paradoxerweise durch die Erkenntnis: *«Ich habe keine Persönlichkeit» . . . Meine Neugier gab sich allem hin . . . meine Gedanken formten sich je nach ihrem Objekt . . . Ich entdeckte keine Spur einer subjektiven Haltung in mir. Ich hätte mich gern grenzenlos gewollt, aber ich war nur gestaltlos wie das Unendliche . . . Es gab begabte Wesen und verdienstliche, unwiderruflich aber reihte ich selbst mich in die zweite dieser Kategorien ein.*[26] Simones Bewunderung und Bescheidenheit hatten jedoch ihre Grenzen: *Zaza zu sein, hätte ich abgelehnt; ich wollte lieber das Universum besitzen als eine nach außen wirksame Gestalt. Ich war noch immer der Überzeugung, daß ich als einzige fertigbringen würde, die Wirklichkeit zu enthüllen, ohne sie zu entstellen oder zu verkleinern. Einzig wenn ich mich mit Zaza maß, beklagte ich bitter meine Banalität . . . Zaza war tatsächlich etwas Außergewöhnliches.*[27] Wiederum begegnen wir hier einer Haltung, die nicht nur das Kind und seine besondere Situation betrifft, sondern die Frau in ihrer Eigenart charakterisiert. Der Totalitätsanspruch des kindlichen Ehrgeizes verlor sich zwar, die eigenartige Mischung aus Bewunderungsfähigkeit und Selbstbehauptung blieb. Ohne sie wäre es wohl nicht möglich gewesen, neben einem Gefährten wie Sartre zu bestehen.

Zaza, meinte Simone de Beauvoir später, habe sie es wahrscheinlich auch zu *verdanken*, daß sie aus der *Krise* der nun folgenden *Entwicklungsjahre*[28], in der das Gefühl, *gezeichnet, verflucht, ausgewiesen*[29] zu sein, sie zu überwältigen drohte, nicht mißtrauisch und verbittert hervorging: . . . *in welch trostloser Einsamkeit hätte ich ohne Zaza meine frühe und spätere Jugend verlebt! Sie war meine einzige, nicht von Büchern abhängige, freudebringende Beziehung zum Leben. Ich hatte den Hang, mich in Form von krankhaftem Hochmut gegen die feindlichen Mächte zu wehren: meine Bewunderung für Zaza hat mich davor bewahrt.*[30]

Die feindlichen Mächte, das waren für Simone, nicht sehr ungewöhnlich, ihre Eltern und was sie repräsentierten. *Alles in allem*, schreibt sie in den *Memoiren einer Tochter aus gutem Hause*, die sich wie ein klassischer Entwicklungsroman – mit einem Mädchen als Heldin – lesen, *war ich diejenige, die die Feindseligkeiten eröffnet hatte, doch ich wußte es nicht*[31]. Schon mit zwölf Jahren, mit dem Eintritt in die Pubertät, begann ihre Kritik an der allerdings weiterhin ungeschwächten Autorität ihrer Eltern: . . . *ich ertrug . . . sie mit ständig wachsender Ungeduld. Besuche, Familienessen, alle die lästigen Einrichtungen, die meine Eltern für unausweichlich notwendig hielten, leuchteten mir nicht als irgendwie nützlich ein. Ihre Antwort, die stets lautete: «Das gehört sich so» oder «das tut man nicht» befriedigte mich keineswegs.*[32] Das Verhältnis zur

Mutter wurde immer schwieriger: *Die Starrheit ihrer Überzeugungen verbot ihr das kleinste Zugeständnis. Wenn sie mich nach etwas fragte, so nicht, um zwischen uns eine Verständigungsbasis zu suchen; sie sondierte nur. Ich hatte immer den Eindruck, daß sie, wenn sie mir eine solche Frage stellte, gleichsam durchs Schlüsselloch sah. Die bloße Tatsache, daß sie Rechte auf mich in Anspruch nahm, bewirkte, daß ich mich vollends verkrampfte. Sie nahm mir ihren Mißerfolg übel und bemühte sich, meinen Widerstand durch ein Maß an Fürsorge zu überwinden, das mich erst recht bis aufs äußerste reizte.*[33] Simone hatte den Verlust ihres Glaubens zunächst vor ihrer Mutter und ihrer Umgebung verborgen: *Man hätte mit Fingern auf mich gewiesen, mich aus dem Unterricht gejagt, ich hätte Zazas Freundschaft verloren und was für einen Aufruhr hätte ich in Mamas Herzen angerichtet!*[34] Sie hatte allein mit der Angst, die ihr *die Leere des Himmels*[35] und die sie tief erschütternde *Entdeckung, eines Nachmittags in Paris, daß ich zum Tode verurteilt sei*[36] verursachten, fertig zu werden; sie schwieg, sie log, sie heuchelte. Da Simone von Natur mitteilsam und offen war, litt sie sehr unter dieser Situation. Wenn sie später Ehrlichkeit – Authentizität – zu ihrem Lebensprinzip erhob, so geschah es nicht zuletzt unter dem Einfluß ihrer jugendlichen Konflikte.

Freilich, als Simone nach dem Abitur ihrer Mutter die Wahrheit eingestand, konnte sie nur noch die totale Entfremdung zwischen ihnen besiegeln. Denn sie lehnte sich ja nicht nur gegen den Glauben, sondern gegen die ganze Daseinsform ihrer Mutter auf: *Eines Nachmittags half ich Mama beim Geschirrspülen; sie wusch die Teller, ich trocknete ab; durchs Fenster sah ich die Feuerwehrkaserne und andere Küchen, in denen Frauen Kochtöpfe scheuerten oder Gemüse putzten. Jeden Tag Mittagessen, Abendessen, jeden Tag schmutziges Geschirr! Unaufhörlich neu begonnene Stunden, die zu gar nichts führten – würde das auch mein Leben sein? . . . Nein, sagte ich mir, während ich einen Tellerstapel in den Wandschrank schob, mein eigenes Leben wird zu etwas führen.*[37] Mme. de Beauvoir hielt wie alle in ihrer Umgebung die Mutterschaft für das Höchste im Leben einer Frau, Simone war schon mit fünfzehn – und noch mit 68 Jahren[38] – der Meinung: *Kinder zu haben, die ihrerseits wieder Kinder bekämen, hieß nur das ewige alte Lied wiederholen; der Gelehrte, der Künstler, der Schriftsteller, der Denker schufen eine andere, leuchtende, frohe Welt, in der alles seine Daseinsberechtigung erhielt. In ihr wollte ich meine Tage verbringen; ich war fest entschlossen, mir darin einen Platz zu verschaffen!*[39]

In diese Welt hatte sie ihr Vater eingeführt. Er war zwar nur ein kleiner Beamter, erschien seiner Tochter jedoch als der vollkommenste Repräsentant des Geistes: *Ich konnte mir nicht vorstellen, daß es noch einen ebenso klugen Mann geben könne wie ihn . . . sein Denken war unangreifbar und unumschränkt. Menschen und Dinge erschienen vor seinem Richterstuhl: er fällte souverän sein Urteil über sie.*[40] Ihm wollte

Mit dem Vater und Schwester Poupette, September 1926

sie gefallen: *Sobald er guthieß, was ich tat, war ich meiner sicher.*[41] Jahrelang war es ihr gelungen, mit ihren Leistungen in der Schule seine Anerkennung zu erringen. Er selbst bestimmte Simone für das Studium und den Lehrberuf, denn *«Heiraten, meine Kleinen», sagte er oft* (zu seinen zwei Töchtern), *«werdet ihr freilich nicht. Ihr habt keine Mitgift, da heißt es arbeiten.»*[42] Als jedoch Simone, die die Aussicht auf einen Beruf der auf eine Heirat bei weitem vorzog und stets dankbar war, daß ihr die Armut ihrer Familie diesen sonst in ihren Kreisen nicht üblichen Weg eröffnete, ihre anspruchsvoller werdenden Studien mit Hingabe weiterverfolgte und darüber ihr in diesen Übergangsjahren ohnehin unvorteilhaftes Äußeres und die gesellschaftlichen Pflichten des «jungen Mädchens» vernachlässigte, stieß sie bei ihm anstatt des erwarteten und ihr so notwendigen Lobes auf schlechtverhehlte Feindseligkeit. Warum, glaubte sie erst später zu verstehen: *Ich war jetzt nicht mehr nur eine Last für ihn: ich war auch in Begriff, die lebendige Verkörperung seines Versagens zu werden. Die Töchter seiner Freunde, seines Bruders, seiner Schwester würden einmal Damen sein: ich nicht.*[43] Er *haderte mit dem ungerechten Geschick, das ihn dazu verdammte, Deklassierte zu Töchtern zu haben*[44]. Damals aber dachte sie nur seinen Wünschen und Spuren zu folgen und fühlte sich von seiner Ablehnung, die von allen um sie her geteilt wurde, *schmerzlich bestürzt und verstört*[45]. *Ich war immer verwöhnt, umhegt und beachtet worden,* schreibt sie später etwas ironisch, *ich liebte es, daß man mich liebte; die Härte meines Geschicks erschreckte mich.*[46] Sie empfand sich als *das Opfer einer Ungerechtigkeit, und allmählich wandelte sich mein Groll in offene Rebellion*[47].

Äußerlich war diese Rebellion für heutige Begriffe nur zahm. Simone wohnte bis zum Abschluß ihrer Studien bei den Eltern, von denen sie finanziell abhängig war. Als Gymnasiastin wurde ihre Lektüre streng überwacht, ihre Briefe wurden von der Mutter gelesen. Die Eltern bestimmten über ihren zukünftigen Beruf und sprachen bei der Wahl der Studienfächer, zuerst Philologie, dann Philosophie, mit. Sie entschieden, daß Simone nicht sofort auf die Sorbonne gehen sollte – die Sitten der Studenten waren zu roh –, sondern zuerst Vorlesungen am Institut Sainte-Marie in Neuilly und am Institut Catholique, einer katholischen Universität, belegen sollte. In sexuellen Fragen war sie seit der Kindheit von strengen Tabus umgeben. Bis ins vorletzte Studienjahr durfte sie abends nicht in Begleitung eines Mannes ausgehen. Und auch allein ließ man sie nicht fort.

Simone führte einen zähen Kleinkrieg gegen ihre Eltern, brach aber nie mit ihnen. Heimlich allerdings trieb sie sich in ihren Studienjahren periodenweise in den Nachtlokalen von Montparnasse herum. Da war sie faszinierte Zuschauerin, nicht Akteurin; *ich liebte die schimmernden Flaschen, die bunten Fähnchen, den Geruch nach Tabak und Alkohol, die Stimmen, das Lachen, das Saxophon. Die Frauen versetzten mich in bewunderndes Staunen . . . ich konnte mir nicht vorstellen, daß man in irgendeinem Geschäft ihre hauchdünnen Strümpfe, ihre ausgeschnittenen Schuhe, ihr Lippenrot zu kaufen bekäme . . . ich schwang mich mit dem gleichen Eifer auf den Barhocker, mit dem ich als Kind vor dem Allerheiligsten in die Knie gesunken war: ich rührte an die gleiche Gegenwart; der Jazz war an die Stelle der Orgel getreten, und ich spähte nach dem Abenteuer in der gleichen Weise aus, wie ich früher auf die Verzückung wartete.*[48] Wenn die reife Memoirenschreiberin auch ironisch von dieser Mystik der Ausschweifung spricht, so hielt sie doch stets an der Vorstellung fest, daß in der zuerst verbotenen und später immer fremden Welt des Sichgehenlassens und Verkommens Wahrheit und Leben enthalten waren, die ihr, der Tochter aus gutem Hause, entgingen.

Im großen und ganzen war Simones Rebellion vor allem innerlicher und geistiger Natur und blieb auch da begrenzt. Bei den nächtlichen Eskapaden verlor sie weder ihre Unschuld noch eigentlich ihre Prüderie. Und sie studierte die ganze Zeit überaus fleißig, um ihre Examen so rasch und gut als möglich zu erledigen. Die Werte, die ihre Kindheit bestimmt hatten, *Pflichtgefühl, Anerkennung des Verdienstes, sexuelle Tabus*[49], wirkten in dieser Zeit, wie auch später in ihrem Leben, weiter. Ja, die Ideen und Werke der Schriftstellerin lassen sich zum Teil aus dem Bemühen verstehen, diese Werte in einem anderen als dem katholisch-christlichen oder bürgerlich-idealistischen System zu fundieren.

Wogegen sie sich wirklich auflehnte, das waren die *hohlen Worte,* die *heuchlerische Moral* – und die *Annehmlichkeiten, die sie bot*[50] –, das

Das «Café du Dôme» in Montparnasse

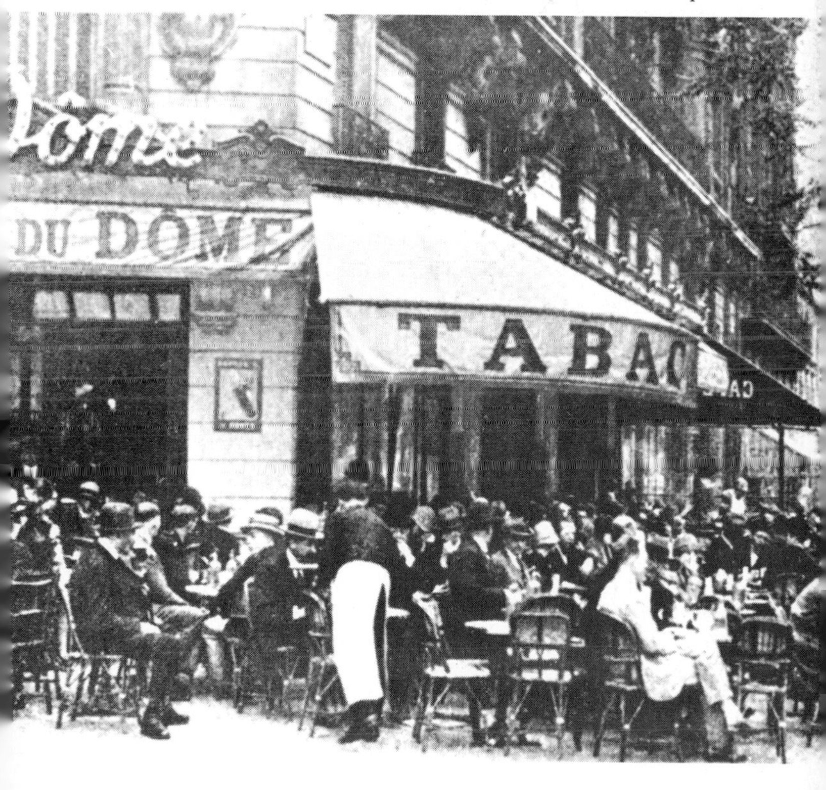

Die Universität Sorbonne

waren die *Hierarchien*, die *Zeremonien*, die Routine des Bürgertums, dessen *eitle Überheblichkeiten*[51] sich mit ihrem ursprünglich von dieser Klasse übernommenen Glauben an die Wichtigkeit des Einzelwesens nicht vertrugen. Sie identifizierte sich mit der modernen Literatur ihrer Zeit, die sie durch ihren Cousin Jacques kennengelernt hatte, und die ihr Vater haßte: *Barrès, Gide, Valéry, Claudel: ich teilte alle Ergriffenheiten der Schriftsteller dieser neuen Generation und vertiefte mich fieberhaft in alle Romane, alle Essays der «Jungen», die gleichwohl älter waren als ich. Es war normal, daß ich mich in ihnen wiedererkannte, denn wir saßen im gleichen Boot. Von bürgerlicher Herkunft wie ich, fühlten sie sich wie ich in ihrer Haut nicht wohl.*[52] Was sie in Simones Augen für sich forderten, nämlich *das Recht, den Dingen ins Auge zu sehen und sie als das zu bezeichnen, was sie in Wirklichkeit waren*[53], wollte auch sie in Anspruch nehmen. Denn in der Umgebung, aus der sie alle stammten, *mißbilligte man die Lüge, ging aber doch der Wahrheit sorgfältig aus dem Weg*[54].

Im vorletzten Studienjahr begann Simone sich endlich wieder wohl zu fühlen. Sie hatte sich einige Freiheiten erkämpft, war attraktiv geworden und fing an, mehr auf ihr Äußeres zu achten, wenn sie auch weiterhin nicht durch die Eleganz ihrer Kleidung bestach. Ihr nettes Aussehen, ihre Aufgeschlossenheit und ihre Intelligenz gewannen ihr neue Freunde. *Ich schmeichelte mir, in mir «das Herz einer Frau mit dem Hirn eines Mannes» zu vereinigen*[55], erzählt sie später über ihr neues, im Sinne des Feminismus nicht gerade gehobenes Selbstbewußtsein. Und im letzten, besonders ehrgeizigen Jahr, in dem sie ihre Diplomarbeit über Leibniz schrieb, gemeinsam mit Merleau-Ponty und Claude Lévi-Strauss ihre Probezeit als Lehrerin am Lycée Janson-de-

Bibliothèque Nationale: Der Lesesaal

Sailly ablegte und sich an der Sorbonne und der École Normale Supérieure (einer der «großen Schulen» Frankreichs) auf die «agrégation» in Philosophie vorbereitete (eine äußerst anspruchsvolle Prüfung, durch die unter den besten Lehramtskandidaten Frankreichs eine beschränkte Zahl ausgewählt wird, um mit ihnen die wichtigsten Stellen an den Gymnasien des Landes zu besetzen), gewann sie *den Eindruck, daß nach einer mühevollen Lehrzeit nun mein wirkliches Leben begann, ich stürzte mich freudig hinein*[56]. Dieses wirkliche Leben brachte die Bekanntschaft mit hervorragenden, später berühmten Schülern der École Normale Supérieure, unter denen sie mit sicherem Blick den Genialsten, Jean-Paul Sartre, zum Gefährten und Geliebten wählen sollte. Von der gesellschaftlichen Elite, zu der sie ihrer Herkunft nach gehörte, wechselte Simone de Beauvoir nun hinüber in eine geistige, in der sie von jetzt an ihren Platz behaupten würde. Ganz hatte sie das Elitedenken der französischen Bourgeoisie, das sie so heftig angriff, doch nicht aufgegeben. Stets wollte sie zu den «Besseren» – denen, die die «Wahrheit» besaßen – gehören und mit ihnen zusammen die weniger Privilegierten geistig führen. Mittelmäßige und Andersdenkende fanden vor ihren Augen wenig Gnade.

In dem neuen Kreis lernte sie aber auch, sich selbst und ihre Zukunftshoffnungen richtiger einschätzen: *Sartre war nicht der einzige, der mich zur Bescheidenheit zwang: Nizan, Aron, Politzer hatten vor mir einen beträchtlichen Vorsprung. Ich hatte mich auf den «Concours»* (die agrégation) *in aller Eile vorbereitet: ihre geistige Kultur war weit solider unterbaut als die meine, sie waren auf dem laufenden über eine Menge neuer Dinge, von denen ich nichts wußte, sie waren das Diskutieren gewöhnt; vor allem fehlte es mir an Methode und Überblick; das geistige Universum war für mich ein wilder Haufen, in dem ich mich zurechtzufinden versuchte; ihr eigenes forschendes Bemühen war, wenigstens in großen Zügen, nach einer bestimmten Richtung orientiert ... Was mir imponierte war, daß sie eine ziemlich genaue Vorstellung von den Büchern hatten, die sie schreiben wollten. Ich hatte mir bis zum Überdruß wiederholt, ich wolle «alles sagen», was teils zuviel, teils zuwenig war. Voller Unruhe entdeckte ich, daß der Roman tausend Probleme stellt, von denen ich nichts geahnt hatte.* Sie verlor jedoch nicht den Mut: *Die Zukunft kam mir plötzlich zwar schwieriger vor, als ich sie mir vorgestellt hatte, aber auch wirklicher und sicherer; an Stelle formloser Möglichkeiten sah ich vor mir ein deutlich abgestecktes Feld mit seinen Problemen, Aufgaben, Materialien, Instrumenten und Widerständen. Ich ging mit meinen Fragen noch weiter: Was tun? Alles war noch zu tun, alles was ich vormals hatte tun wollen: den Irrtum bekämpfen, die Wahrheit finden und künden, die Welt aufklären, vielleicht ihr sogar zu einer Wandlung verhelfen. Ich würde Zeit brauchen und Anstrengungen machen müssen, um auch nur zum Teil die Versprechungen zu halten, die ich mir selbst gegeben hatte: doch das erschreckte mich nicht. Nichts war freilich gewonnen, aber alles blieb möglich.*[57]

Mit dieser Zuversicht und mit der «agrégation», die sie 1929 als Zweitbeste – hinter Sartre, der allerdings schon zum zweitenmal angetreten war – bestand, fühlte sich Simone endlich frei von ihrem Elternhaus und ihrem Milieu. Freilich war sie es, wie wir zu zeigen versuchten, keineswegs so vollkommen, wie die in ihren Erinnerungen immer wiederkehrenden Worte Rebellion und Freiheit zu verstehen geben wollen. Ihre Herkunft hatte Simone ja schließlich die Mittel zur Befreiung in die Hand gegeben und indirekt die Ziele für ihr weiteres Leben bestimmt. Andererseits machen diese Worte aber auch klar, wie bedrückend Simone ihre bürgerliche Umgebung erschien und wie schwer es für sie zu dieser Zeit war, wieviel zähe Anstrengung und wieviel Glück sie brauchte, um auch nur so weit zu kommen, wie sie mit 21 Jahren war.

Zwei der Jugendgefährten Simone de Beauvoirs, Jacques Laiguillon, ein Cousin, und Zaza, die beste Freundin, waren weniger erfolgreich. Sie litten wie sie unter den Zwängen und Widersprüchen ihrer Klasse, konnten ihnen aber nicht entkommen. Jacques, der einzige junge

Paul Nizan

Mann, den Simone seit ihrer Kindheit kannte und den sie ihre Jugend hindurch zu lieben meinte und sogar zu heiraten hoffte, war dem großbürgerlichen Leben zugleich hörig und entfremdet. Sein lässiger Charme und seine *Unfähigkeit, in die Haut eines soliden Bürgers zu schlüpfen*, zogen das jüngere Mädchen an, seine Ziellosigkeit und sein Unwille, aus dieser Haut ganz *herauszuschlüpfen*[58], betrübten und verwirrten sie. Er behandelte Simone als Seelenfreundin, hatte daneben, wie sie später erfuhr, kleine Liebschaften, und heiratete ganz plötzlich ein Mädchen mit beträchtlicher Mitgift. Damit trennten sich seine Wege von denen seiner Cousine. Doch verfolgte sie sein weiteres Schicksal mit Sympathie, da es ihr schien, daß Jacques es darauf anlegte als der Bürger, der er mit seiner Heirat nun endgültig geworden war, zugrunde zu gehen. Er ließ sich in gewagte, unglückliche Spekulationen ein und verkam dann, von seiner Frau und seinen Kindern getrennt, als Trinker. *Was wäre geschehen*, konnte Simone de Beauvoir sich später nicht enthalten zu fragen, *wenn er mich geheiratet hätte?*

Der Verlust und das Versagen Jacques' gingen ihr jedoch wesentlich weniger nahe als der Tod Zazas. Sie starb in demselben Jahr, in dem Simone ihre Studien abschloß – woran, wußte man nicht genau. Auf jeden Fall hatten die Konflikte zwischen den Rücksichten auf Familie und Mutter, die eine arrangierte Vernunftehe und ein konventionelles großbürgerliches Leben verlangten, und den Ansprüchen ihres Geistes und Herzens, die Freiheit in der Wahl ihrer Tätigkeiten und einen geliebten Mann als Gatten forderten, entscheidend zu ihrem Tode beigetragen. Zaza war in Simones Augen ein unschuldiges Opfer des *arrivierten Bürgertums*, in dem ihr *falscher Spiritualismus und erstickender Konformismus, Arroganz* und *bedrückende Tyrannei*[59] noch ausgeprägter und daher vernichtender erschienen, als in den verarmten Schichten, aus denen sie selber stammte. *Zusammen*, schreibt Simone de Beauvoir am Ende ihrer *Memoiren einer Tochter aus gutem Hause, haben wir beide gegen das zähflüssige Schicksal gekämpft, das uns zu verschlingen drohte, und lange Zeit habe ich gedacht, ich hatte am Ende meine Freiheit mit ihrem Tode bezahlt.*[60]

Das Schicksal Jacques' und besonders Zazas berührten Simone so tief – und erfüllten sie im Falle Zazas mit etwas wie Schuldbewußtsein –, weil sie im Innersten von der Vorstellung geplagt wurde, *das hätte mir selbst passieren können*[61]. Immer wieder hatte sie das Gefühl, glücklicher zu sein als andere, deren Ausgangssituation der ihren in vielem ähnlich schien. Es sollte sie als Schriftstellerin wesentlich in der Auswahl und Behandlung ihrer Themen beeinflussen.

Freiheit und Bindung

Simone de Beauvoir genoß das neue Leben, das nach dem Abschluß ihrer Studien für sie anbrach: *Als ich im September wieder nach Paris kam, berauschte mich vor allem meine Freiheit. Seit meiner Kindheit hatte ich von ihr geträumt ... Plötzlich besaß ich sie; bei jeder meiner Bewegungen staunte ich von neuem, wie leicht ich mich fühlte. Wenn ich morgens die Augen öffnete, strampelte und jauchzte ich vor Freude.*[62] Freiheit, dieser Grundbegriff existentialistischer Philosophie, war für sie zuerst etwas sehr Einfaches, Konkretes: finanzielle Unabhängigkeit von den Eltern und ein eigenes Zimmer, in dem sie kommen und gehen, schlafen und wachen konnte, wann und wie sie wollte. Zunächst war es – um die Eltern nicht zu sehr zu verärgern – ein Mietzimmer bei der Großmutter, dann kamen viele kleine und größere Hotels. Lange Zeit hatte Simone de Beauvoir weder Lust auf ein eigenes Heim noch die Mittel dazu. Erst 1954 kaufte sie sich – mit dem Geld, das sie durch den Prix Goncourt bekommen hatte – das Studioapartment gegenüber dem Friedhof Montparnasse, in dem sie bis zu ihrem Tod wohnte. Viele Jahre hindurch verbrachte sie den größten Teil ihrer freien Zeit in Cafés, in denen sie las, schrieb und ihre Freunde traf. Ihre Mahlzeiten nahm sie ebenfalls da oder in kleinen Restaurants ein. Nur für kurze Zeit, während des Kriegs, als man dort zu wenig zu essen bekam, kochte sie für sich, Sartre und einige Freunde. Sonst vermied sie entschlossen jede Art von Häuslichkeit, denn sie hatte bei ihren Eltern, Verwandten und Bekannten gesehen, wie sehr sie vor allem die Frau, ob arm oder reich, gefangennahm.

Da auch der Beruf, den sie gewählt hatte, keine allzu großen Anforderungen stellen, aber finanzielle Sicherheit garantieren würde, meinte Simone de Beauvoir, daß sie von nun an in unbedingter Freiheit ihr Dasein aufbauen könne: *Mein Unternehmen war mein Leben selbst, und ich glaubte es in den eigenen Händen zu halten. Es mußte zwei Forderungen erfüllen, von denen ich in meinem Optimismus nicht abließ: glücklich sein und mir die Welt schenken.*[63] Im Glück sah sie damals, aber eigentlich auch später, ihre ganz besondere Berufung: *In meinem ganzen Leben bin ich niemandem begegnet,* erklärt sie rückblikkend, *der so zu Glück begabt gewesen wäre wie ich, auch niemanden, der sich mit gleicher Hartnäckigkeit darauf versteift hätte. Sobald ich es zu fassen bekommen hatte, wurde es mein Lebensinhalt.*[64] Nur im Glück hoffte sie die Wahrheit ihrer Existenz und der Welt zu finden. Daß sie es zu fassen bekam, verdankte sie aber nicht nur der endlich gewonnenen und so intensiv erlebten Selbständigkeit, sondern einer zur gleichen Zeit eingegangenen Bindung – zu Jean-Paul Sartre.

Simone de Beauvoir und Sartre waren, wie schon erwähnt, Studienkollegen. Er gehörte zu einem Kreis berüchtigter «Normaliens», die sich abseits hielten, ostentativ eine gewisse Vernachlässigung kultivierten und eleganten Studenten rohe Streiche spielten. Er war angeblich *der Schlimmste . . . man sagte sogar, er tränke*[65]. Sein Ruf, zu dem aber auch gehörte, daß er nie aufhöre zu denken, faszinierte Simone. Sartre liebte die Frauen und hatte schon einige Erfahrungen gesammelt. Simone, die er bei den gemeinsamen Vorlesungen sah, gefiel ihm so gut – «Hübsch, aber scheußlich angezogen», lautete sein fachmännisches Urteil[66] –, daß er «unbedingt ihre Bekanntschaft machen»[67] wollte. Zum ersten Rendezvous, das einer seiner Freunde, der sie bereits kannte, zu vermitteln vorgab, kam freilich die Schwester Poupette. Simone und der Freund hatten ihn hereingelegt. Nun versuchte er es seriöser: Seine kleine Gruppe, die «petits camarades», luden sie ein, mit ihnen zusammen für die letzte Prüfung zu studieren. Als sie *etwas aufgeregt* zum Treffen in Sartres Zimmer kam, fand sie einen Anblick, der ihr im Laufe ihres Lebens nur allzuvertraut werden sollte, *außer einem riesigen Durcheinander von Büchern und Papieren überall umherliegende Zigarettenstummel und dicken Rauch*[68]. *Den ganzen Tag* kommentierte sie, *erstarrt vor Schüchternheit*, ihr Spezialgebiet, Leibniz. Bei den weiteren Zusammenkünften verflog die Scheu jedoch schnell. Bald belegte Sartre sie ganz mit Beschlag, was sie sich nur zu gern gefallen ließ. Noch war ihr Verhältnis nichts als zärtliche Freundschaft, aber als Simone in August 1929 in die Ferien ging, glaubte sie schon, *daß er aus meinem Leben nie verschwinden würde*[69]. Er besuchte sie sehr zum Ärger ihrer Eltern im Limousin, und damals oder spätestens im Herbst in Paris – Simone de Beauvoir ist in dieser Hinsicht in ihren Memoiren sehr diskret – wurde die Freundschaft zur Liaison.

Sartre war von Anfang an «der Richtige». Das heranwachsende Mädchen hatte sich, wie andere auch, Träumereien über die Liebe und, ganz selbstverständlich, den Mann, den sie heiraten würde, hingegeben. Sie stattete ihren *künftigen Gatten mit keinen bestimmten Zügen aus. Um so deutlicher war die Vorstellung, die ich mir von unseren Beziehungen zueinander machte: ich würde leidenschaftliche Bewunderung für ihn hegen. Auf diesem Gebiet wie auf allen anderen dürstete ich nach Notwendigkeit. Der Erwählte mußte wie einst Zaza einfach zwingend da, seine Überlegenheit vollkommen evident sein, sonst würde ich mich fragen: «Warum er und kein anderer?» Dieser Zweifel war unvereinbar*

Sartres Arbeitsraum

mit wahrer Liebe. Ich würde an dem Tag lieben, an dem ein Mann durch seine Klugheit, seine Kultur, seine Autorität mir unbegrenzt imponierte.[70] Eine solche Liebe würde natürlich das ganze Leben dauern. Es ist nun nicht erstaunlich, daß sich die in der Romanliteratur des 19. Jahrhunderts so belesene Simone solchen Erwartungen hingab; interessant ist jedoch, wie sehr Sartre und ihre Beziehungen zu ihm diesen Vorstellungen entsprach. Eigentlich verzichtete sie nur auf den Buchstaben des Gesetzes – standesamtliche Trauung, gemeinsamer Haushalt, sexuelle Treue –, um desto besser den Geist ihrer Jungmädchenvorstellung von wahrer Liebe aufrechterhalten zu können.

Äußerlich war Sartre nicht besonders attraktiv, eine Tatsache, die weder ihn noch sie störte. Sofort erkannte Simone de Beauvoir in dem kleinen, wegen eines Augenleidens schielenden Mann den Außergewöhnlichen, Überlegenen. *Zum erstenmal* fühlte sie sich *geistig von einem anderen beherrscht*[71]. *Da er zwei Jahre* (genau zweieinhalb) *älter war als ich*, schreibt sie, – *und zwar zwei Jahre, die er wohl ausgenutzt hatte – und sehr viel früher einen viel günstigeren Start gehabt hatte, wußte er über alle Dinge besser Bescheid. Die wahre Überlegenheit aber, die er sich selber zuerkannte und die auch mir in die Augen sprang, war*

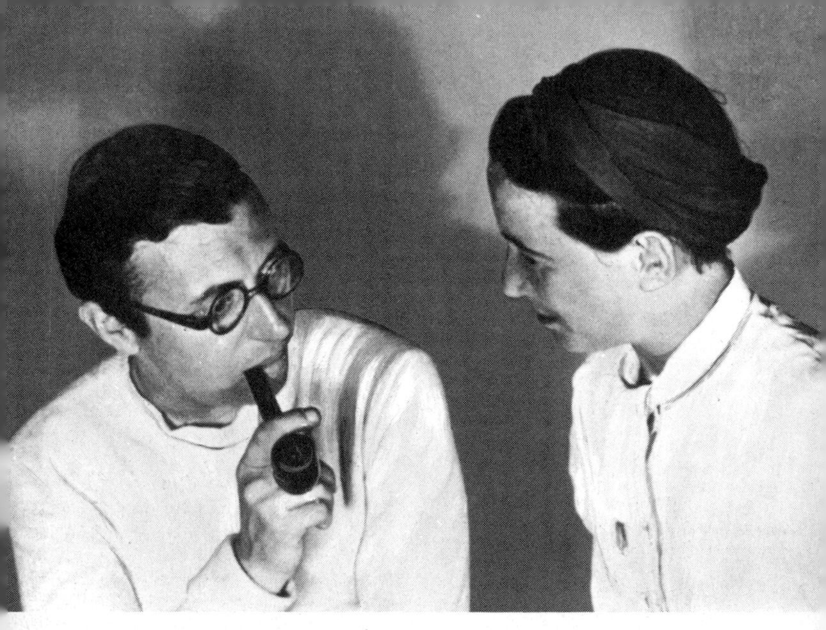

Im Gespräch mit Sartre

die ruhevolle, besessene Leidenschaft, die ihn zu seinen künftigen Büchern drängte . . . Ich hatte mich für etwas Außergewöhnliches gehalten, weil ich mir mein Leben nicht ohne Schreiben vorstellen konnte: er lebte nur, um zu schreiben.[72] Grundsätzlich glaubte sie sich ihm jedoch verwandt und fühlte sich daher auch nie als Unterlegene. Sie sah in Sartre einen *Doppelgänger, in dem ich in einer Art von Verklärung alles wiederfand, wovon ich selbst besessen war. Mit ihm würde ich immer alles teilen können.*[73]

Vertraute und vertrauensvolle Gemeinschaft mit einem bewunderten Menschen war Simone de Beauvoir seit der Kindheit, seit dem anfänglich so beglückenden Verhältnis zum Vater, seit der Freundschaft mit Zaza, ein tiefes Bedürfnis. Im zweiten Band ihrer Memoiren, der vor allem eine Geschichte der Entwicklung und Befestigung ihres Verhältnisses zu Sartre und zugleich ihrer eigenen Persönlichkeit ist, schreibt sie darüber: *Sich mit jemandem von Grund aus verstehen ist in jedem Fall ein großes Privileg; für mich war es buchstäblich nicht mit Gold aufzuwiegen . . . ich hätte ebensogut mit niemandem zu völligem Gleichklang gelangen können. Wenn ich aber die gebotene Chance so leidenschaftlich ergriff und so beharrlich festhielt, so nur weil ich damit einem sehr alten Ruf folgte . . . wie Zaza war er* (Sartre) *meinesgleichen; zusammen zogen wir aus, die Welt zu entdecken. Ihm vertraute ich jetzt so rückhaltlos, daß er mir, wie einst meine Eltern, wie einst Gott, das Gefühl unbedingter Sicherheit gab. In dem Augenblick, als ich mich in die Freiheit warf, fand ich den Himmel über mir makellos. Ich war jedem Zwang entzogen, und doch wohnte jedem Augenblick eine Art Notwendigkeit inne.*[74] Simone de Beauvoir verrät hier ein Anlehnungsbedürfnis, das – wie viele Leser und Kritiker bemerkt haben – den Forderungen, die *Das andere Geschlecht* später so energisch vertrat, zu widersprechen scheint. Die Frage, wie selbständig die Autorin eigentlich in ihrem Leben gewesen sei, stellt sich denn auch, seitdem wir sie aus den Memoiren näher kennen, immer wieder. Eine Antwort läßt sich erst versuchen, wenn wir ihre weitere Entwicklung näher kennen.

Zunächst fehlte dem Verhältnis zu Sartre jede andere als die Sicherheit des Gefühls. Da sie einander vollkommene Aufrichtigkeit versprochen hatten – ein Versprechen, das beide ihren eigenen Aussagen nach

auch wirklich hielten –, wußte Simone de Beauvoir, daß er weder heiraten noch bei einer einzigen Frau bleiben wollte. Sie schlossen einen *Pakt* auf zwei Jahre. Er würde seinen Militärdienst in Tours ableisten, und sie würde in Paris bleiben. Dafür begnügte sie sich mit Privatstunden und halben Lehrverpflichtungen. (Eine volle Anstellung als Philosophielehrerin hätte sie unweigerlich irgendwohin in die Provinz geführt.) Nach diesen zwei Jahren wollte Sartre in Japan unterrichten, und auch sie sollte sich im Ausland einen Posten suchen. Dann würden sie sich wiedersehen und konnten ihren Vertrag auf Abruf erneuern.

Grundelement ihrer Beziehungen war das Gespräch. Ein ganzes Leben sollten die beiden – wie viele Zeugen bewundernd oder amüsiert festgehalten haben – endlose, äußerst lebhafte Diskussionen miteinander führen. Stets gelang es ihm, sie auf philosophischem und politischem Gebiet zu seinen Standpunkten zu bekehren – *Sartre ist in ideologischen Fragen schöpferisch – ich nicht*[75], bekennt Simone de Beauvoir. Sie *folgte* ihm jedoch nur, *weil er Wege beschritt, die ich gern einschlagen wollte.* Nie folgte sie stumm: *Ich habe keine Idee, keinen Entschluß übernommen, ohne sie zu kritisieren und mir selber Rechenschaft zu geben.*[76] Von Anfang an brachte sie sehr viel Vitalität und Selbstbewußtsein in das Verhältnis mit, was Sartre nur gefiel. *Wir sprachen von unendlich vielen Dingen*, erzählt sie mit schöner Freimütigkeit von der ersten Zeit mit ihm, *vor allem aber über ein Thema, das mich mehr als jedes andere interessierte, nämlich über mich.*[77]

Trotz der gegenseitigen Liebe und Achtung waren aber die ersten zwei Jahre nicht die befriedigendsten in Simones Beziehungen zu Sartre. Das Problem lag bei ihr selbst. *Meine Ethik gebot*, schreibt sie, *daß ich im Mittelpunkt meines Lebens bliebe, während ich spontan eine andere Existenz der meinigen vorzog.*[78] Sie liebte so, wie man es durch Jahrhunderte, vor allem von der Frau, erwartet hatte, mit Hingabe. Doch hatte Simone im Laufe ihrer Kindheit und Jugend zu viel Stolz und Ehrgeiz entwickelt, um diese Art von Liebe nicht, zeitweilig zumindest, als beängstigenden Verlust ihrer selbst zu empfinden: *Für mich zählte nur die Zeit, die ich mit Sartre verbrachte*[79], gesteht sie; *ich gab mich so weit auf, daß von meiner Person nichts übrigblieb, was sich hätte sagen können: ich bin nichts. Dennoch meldete sich diese Stimme manchmal. Dann stellte ich fest, daß ich meine eigene Existenz aufgegeben hatte, daß ich als Parasit lebte.*[80] Sie schrieb zwar, was die Feder hergab – weil Sartre sie *energisch dazu anhielt*[81] –, aber *ohne Überzeugung; das Schreiben erschien mir bald als Strafaufgabe, bald als Scherz*[82]. Und gelegentlich überfiel sie in all ihrem Liebesglück die Angst: *Als ich Sartre begegnet war, hatte ich geglaubt, nun sei alles gewonnen. An seiner Seite konnte meine Selbstverwirklichung nicht mißlingen. Jetzt sagte ich mir: auf das Heil eines anderen mitzusetzen ist der sicherste Weg zum Untergang.*[83]

Simone de Beauvoir war damals noch keine Feministin. Das Unbehagen, das sie fühlte, entsprang ihrem Individualismus und ihrer Leistungsorientierung: *So wie ich mich früher geweigert hatte, mich als «Kind» bezeichnen zu lassen, so hielt ich mich jetzt nicht für eine «Frau»; ich war ich. Und als «ich» fühlte ich mich schuldig. Die Heilsidee hatte in mir weitergelebt, auch nachdem Gott tot war, und ich war fest davon überzeugt, daß jeder persönlich für sein eigenes Heil zu sorgen habe... Ein Leben als «Zweitwesen», als «relatives» Wesen hätte für mich geheißen, mich in meiner Eigenschaft als menschliches Geschöpf zu erniedrigen.*[84] Das Heil lag aber nicht einfach in der Unabhängigkeit, sondern in der Anstrengung und Leistung, für die die Selbständigkeit eine, allerdings unerläßliche, Voraussetzung war. Was sie an ihrer glücklichen Trägheit so besonders erschreckte war die eigene Mittelmäßigkeit, die sich darin zu bestätigen schien; *ich dankte ab*[85], stellte sie mit Horror fest.

Noch ein anderes Abhängigkeitsgefühl quälte Simone damals. Mit Freuden hatte das puritanisch erzogene Mädchen in der Liebe ihren Körper entdeckt. Was sie jedoch nicht ertragen konnte war die Herrschaft, die dieser Körper nun über ihren Geist und Willen antrat: *Ich verbrachte Tage und Wochen von Sartre getrennt, und am Sonntag in Tours hatten wir Hemmungen, am hellen Tag in ein Hotelzimmer zu gehen ... Ich entdeckte, daß die Sehnsucht nicht nur ein seelisches Leid, sondern ein körperlicher Schmerz sein kann ... Ein schmachvolles Übel ... mein einsames Schmachten verlangte wahllos nach irgendeinem Partner. Nachts, im Zug Tours–Paris, konnte eine fremde Hand, die an meinem Bein entlangstrich, einen Aufruhr in mir wecken, der mich in Selbstverachtung stürzte.*[86] Simones innere Konflikte wurden durch die bevorstehende Trennung von Sartre keineswegs gemildert. *Dieser Abgrund am Horizont erschreckte mich wie der Tod, und ich wagte nicht mehr, an ihn zu denken. Ich fragte mich, was eigentlich der wahre Grund für meine Verstörtheit war. Hätte ich mein Versinken im Glück auch dann so sehr bedauert, wenn ich mich gefürchtet hätte, daß man mich eines Tages herausreißen würde?*[87]

Als die zwei Jahre schließlich um waren, bekam ein anderer die Stelle in Japan, Sartre gab man 1931 einen Posten als Philosophieprofessor in Le Havre und Simone de Beauvoir einen in dem 800 Kilometer entfernten Marseille. Angesichts ihrer Panik über diese Distanz machte er, der nun schon überzeugt war, daß ihre Beziehung zueinander die «vollkommenste»[88] war, die er sich mit einem Menschen vorstellen konnte, den Vorschlag, zu heiraten. (Ehepaare wurden in der Nähe voneinander angestellt.) Sie lehnte ab. Wie es zunächst scheint, aus Rücksicht auf ihn: *Ich sah, wie schwer es Sartre fiel, von seinen Reisen Abschied zu nehmen, von seiner Freiheit, seiner Jugend, um Professor in der Provinz und unwiderruflich erwachsen zu werden; der Zunft der*

Ehemänner beizutreten, hätte einen weiteren Verzicht bedeutet.[89] Doch teilte sie jetzt seine Abneigung gegen die Ehe als beschränkende Verbürgerlichung und institutionalisierte Einmischung des Staates in Privatangelegenheiten. Vor allem aber fürchtete sie sich persönlich vor einer Bindung, die ihre Neigung zur Selbstaufgabe an den geliebten Menschen noch durch Gesetz und Tradition untermauert hätte. Sie brauchte eine gewisse Einsamkeit, um ihr *Gleichgewicht ohne Betrug wiederzufinden*[90], und den schlummernden Ehrgeiz, das alte Selbstvertrauen zurückzugewinnen. Wie sehr bestätigt der tiefe Eindruck, den die Ankunft in Marseille in ihr hinterließ. Rückblickend scheint ihr, *als hätte sie einen absoluten Wendepunkt in meiner Lebensgeschichte bezeichnet: Ich hatte meinen Koffer bei der Aufbewahrung gelassen und stand unbeweglich auf der großen Treppe ... Da war ich, allein, mit leeren Händen, abgeschnitten von meiner Vergangenheit und von allem, was ich liebte, und ich schaute auf die große Stadt, wo ich nun ganz allein, Tag für Tag, mit meinem Leben fertig werden mußte. Bisher war ich ganz von anderen Menschen abhängig gewesen. Grenzen und Ziele waren mir gesteckt, und ein großes Glück war mir geschenkt worden. Hier existierte ich für niemanden. Irgendwo unter einem dieser Dächer würde ich jede Woche vierzehn Stunden Unterricht geben müssen. Alles Weitere wußte ich nicht ... Meine Beschäftigungen, meine Gewohnheiten, meine Vergnügungen mußte ich mir selbst suchen. Langsam stieg ich die Treppe hinunter, auf jeder Stufe blieb ich stehen, so sehr beschäftigten mich diese Häuser, diese Bäume, diese Gewässer, diese Felsen, diese Straßen, die mir nach und nach ihr Wesen, mir selbst mein Wesen enthüllen sollten.*[91] Als Frau allein, auf sich selbst gestellt, der Welt zu begegnen und so das eigene Ich zu entdecken, ist seither zu einer Leitforderung feministischer Literatur geworden. Für Simone de Beauvoir war es damals ein entscheidender und keineswegs leichter Schritt: *Ich empfand den lebhaften Wunsch, ihn* (Sartre) *nicht zu verlassen. Im Hinblick auf die Zukunft habe ich mich für das entschieden, was im Augenblick das Schwierigste für mich war. Das war das einzige Mal, da es mir schien, eine Gefahr vermieden und meinem Leben eine heilsame Richtung gegeben zu haben.*[92]

Es ist charakteristisch für unsere Autorin, daß sie sich in Marseille nicht der Welt der Menschen zuwandte, um «sich selbst zu finden», sondern Stadt und Umgebung in einsamen, unermüdlichen, vom Rausch der physischen Bewegung und des Schauens erfaßten Fußmärschen erwanderte. In der Wanderleidenschaft, die sie erst im Alter mit Bedauern wieder aufgab, verbanden sich ihr Vitalität und Schaulust zu einem beglückenden, aus der Kindheit vertrauten Gefühl, als alleiniger Entdecker und Eroberer der Dinge notwendig und einzigartig zu sein. Für die Leute, auch die ihrer nächsten Umgebung, zeigte sie wenig Interesse. Den zärtlichen Annäherungsversuch einer Kollegin wies sie

Als Lehrerin in Marseille. Vierte von links, sitzend

(die lesbische Liebe später als völlig akzeptabel verteidigte, aber nie, wie andere Feministinnen, als der heterosexuellen überlegen propagierte) geniert zurück. Ihre Liebe gehörte weiterhin Sartre, das Verhältnis zu ihm wurde durch den Entschluß zur Entfernung nur gestärkt. Sie revidierten ihren *Pakt* und gaben die Idee eines *Vertrages auf Abruf* auf, zugunsten einer dauernden Verbindung, in der jeder seine Unabhängigkeit behalten und dem anderen ein völlig gleichberechtigter Partner sein würde. Für die Zukunft – allerdings erst für die *fernen Dreißiger* – sahen sie zusätzliche, *kontingente* Liebesverhältnisse voraus, da besonders Sartre weiterhin – und mit Recht – von seiner polygamen Natur überzeugt war und auf *Zufallslieben* nicht verzichten wollte.[93]

Das «Exil» in Marseille dauerte nur ein Jahr. Dann wurde Simone de Beauvoir nach Rouen, also in die Nähe Sartres, versetzt. Gemeinsam nahmen sie die alten Gewohnheiten und Freundschaften wieder auf und begannen neue. In dem Bewußtsein, ein Gleichgewicht zwischen ihrer Eigenständigkeit und ihrem Gefühl für ihn gefunden zu haben, gelang es Simone von nun an, sich in allen Stürmen eines nicht gerade gewöhnlichen Daseins als Vertraute und Gefährtin neben ihm zu behaupten. Mit tiefer Befriedigung resümiert die Fünfundfünfzigjährige:

Mit Sartre, 1968

In meinem Leben habe ich einen unbestreitbaren Erfolg zu verzeichnen: meine Beziehungen zu Sartre. In mehr als dreißig Jahren sind wir nur einen Abend uneins eingeschlafen. Das langjährige Beisammensein hat keineswegs das Interesse verringert, das wir an unseren Gesprächen haben . . . Unsere Gedanken sind aber so beharrlich kritisiert, korrigiert und begründet worden, daß sie heute unser gemeinsames Eigentum sind . . . Oft beendet der eine den Satz, den der andere begonnen hat. Wenn man uns eine Frage stellt, geschieht es, daß wir beide die gleiche Antwort formulieren.[94] Daß diese schöne Übereinstimmung, die Sartre übrigens wie alles andere, was Simone de Beauvoir über ihn und ihre Beziehungen zu ihm erzählt hat, voll und ganz unterschreibt[95], und die

Bei der Arbeit,
1964

Auf dem
Balkon
von Sartres
Wohnung
am Boulevard
Raspail, 1964

natürlich das Werk vieler Jahre war, von ihr – mehr als von ihm – ein großes Maß an Verständnisbereitschaft und Toleranz forderte, läßt sich in und zwischen den Zeilen der Memoiren – und Romane – lesen. Eigentlich widersprach sie ja Sartres «Konzept». «Ich stelle mir immer gerne die Frauen, die aufeinander folgen, jede als im jeweiligen Moment für mich einzig und wichtig vor», bekennt noch der Siebzigjährige und meint rückblickend: «Es sind eben die besonderen Qualitäten von Simone de Beauvoir, die dazu führten, daß sie in meinem Leben einen Platz eingenommen hat, der keinem anderen Menschen zugänglich ist.»[96] Wie hartnäckig sie diesen Platz aber verteidigte und verteidigen mußte gegenüber seinem enormen Bedürfnis, erotisch und intellektuell beweglich zu bleiben, indem er immer wieder junge Frauen und Schüler in seinen Bannkreis zog, darüber spricht Sartre nicht und auch Beauvoir verschleiert vieles. Die letzten Jahre seines Lebens sollten für sie in dieser Hinsicht besonders schwierig werden, da sie nicht nur den körperlichen und geistigen Verfall des geliebten Mannes akzeptieren mußte, sondern auch die Tatsache, daß er 1965 eine seiner Freundinnen, Arlette Elkaïm, eine algerische Jüdin, zu seiner Adoptivtochter und damit zur zukünftigen Verwalterin seines Nachlasses machte. Noch schlimmer war es für sie, daß er Benny Lévy (Pseudonym Pierre Victor), einen der jungen Maoisten der Revolution von 1968, den er unter anderem, um dem staatenlosen Juden aus Kairo zu helfen, 1974 als Sekretär anstellte, zum engsten Mitarbeiter

Beim Verkauf des Maoistenblattes «La Cause du Peuple»

Gemeinsam im Polizeiwagen, 1970, nach der Aktion für die Zeitung «La Cause du Peuple»

erhob, ein Verhältnis, das sie ausschloß. Ihrer Meinung nach benutzte der junge den alten Mann für seine Interessen und brachte ihn dazu, lange gehegte, wichtige Anschauungen zu revidieren oder über Bord zu werfen. Zum Bruch kam es jedoch nie, auch Sartre ging auf seine Art vorsichtig und liebevoll mit der Vertrauten seines Lebens um.

Beide betonten immer wieder, daß der Erfolg ihrer Beziehungen auf ihrer *kulturellen Gleichwertigkeit* beruhte und daß zwischen ihnen *vollständige Gleichheit* herrschte.[97] Es war für ihn jedoch eine Gleichheit in der Verschiedenheit. Seiner Meinung nach unterschieden sich Frauen nicht nur physisch, sondern auch gefühlsmäßig von Männern. Sie hatten eine bessere Kenntnis ihrer selbst, mehr nach innen gerichtet, präziser. Sie waren weniger seriös im bürgerlichen Sinn und daher weniger «komisch»[98]. Ihre Gesellschaft, ihre Art zu sehen und zu erleben, bedeuteten ihm eine Komplementierung seiner selbst. Und Simone de Beauvoir wurde ihm eine so vollkommene Ergänzung, daß sie auch in seiner Arbeit einen wichtigen Platz einnahm: «Ohne sie», erklärt er, «machte ich nicht dieselben Erfahrungen, ohne mit ihr zu sprechen wären sie ungenauer, unspezifischer. Eine Geste, die ich beschreibe, ein Vorgang, den ich beobachte, eine Lebenssituation, die ich analysiere – sie bekommen ihre Präzision, ihre realistische Exaktheit... durch die Erfahrensintensität Simone de Bauvoirs.»[99] So befriedigend seine Einstellung auch für sie sein mußte: sie barg eine lähmende Gefahr, nämlich die, sich mit der eigenen Wichtigkeit für den geliebten, genialeren Mann zufriedenzugeben und in der Identifikation mit ihm selbständige Leistungen für unnötig und unmöglich zu halten. Freilich, wenn sie dieser Gefahr erlegen wäre, hätte sie – davon war Simone de Beauvoir, glaube ich, zutiefst überzeugt – nicht nur sich selbst, sondern schließlich auch den Respekt und die Zuneigung Sartres verloren. Sie wäre mit doppelt leeren Händen dagestanden, als *gebrochene Frau*, wie eine ihrer Erzählungen heißt, die das Thema der Liebenden behandelt, die ganz in einem Mann aufgeht und – von ihm schließlich verlassen – vor dem Nichts ihrer eigenen Person steht. Daß dieses Thema bei Simone de Beauvoir immer wiederkehrt, geht nicht nur auf Beobachtungen in ihrer Umwelt zurück, sondern verrät wohl auch das Bewußtsein der eigenen Gefährdung.

Sie erlag ihr nicht. Seit dem Jahr in Marseille hatte sie ihr ursprüngliches Ziel, Schriftstellerin – nicht Philosophin oder politische Denkerin – zu sein, wieder fest ins Auge gefaßt. Und hier ging sie, wenn auch unzweifelhaft von Sartre beeinflußt und unterstützt, letztlich ihre eigenen Wege. *Ich habe meine Unabhängigkeit behalten, weil ich meine Verantwortung nie auf Sartre abgewälzt habe*, verteidigt sich Simone de Beauvoir gegen die Vorwürfe *gewisser junger Frauen*, daß sie in ihrem eigenen Leben eine *«relative» Rolle* akzeptiert habe. *Meine Gemütserregungen entstanden durch den direkten Kontakt mit der Welt. Mein eigenes Werk hat Studien, Entschlüsse, Ausdauer, Kämpfe, Arbeit von mir gefordert. Sartre hat mir geholfen, wie ich ihm geholfen habe. Ich habe aber nicht nur durch ihn gelebt.*[100] Und wir werden ihr, wenn wir ihren Weg und ihre Leistungen weiterverfolgt haben, recht geben müssen. Daß sie nicht allein durchs Leben zu gehen brauchte und einen so außergewöhnlichen Gefährten fand, war für Simone de Beauvoir persönlich unendlich wichtig und beglückend. Die Gemeinschaft mit ihm förderte sie auch beruflich. Er bot andauernde geistige Anregung und vermittelte Kontakte, die sich ihr, die später und weniger bekannt wurde als er, sonst wohl kaum eröffnet hätten. Aber wenn es dadurch auch etwas leichter für sie war, gehört zu werden und «dabei zu sein»: die Anerkennung, die sie heute für das von ihr Gesagte genießt, mußte sie noch immer selbst verdienen. Zu denken, daß sie ohne ihn «nichts» geworden wäre oder daß sie an der Seite eines anderen Mannes völlig entgegengesetzte Ideen vertreten hätte, hieße Simone de Beauvoir einerseits gewaltig unterschätzen, andererseits an sie einen Maßstab anlegen, den man sonst nicht verwendet. Nicht nur in der Liebe, auch in dem von ihr erwählten Beruf sollte sie die Chancen, die sich ihr boten, mit Eifer ergreifen und daraus mit Mut und Zähigkeit machen, was sie wollte und konnte.

Die Andere

In Rouen stieß sich mein Blick überall an Mauern[101], schreibt Simone de Beauvoir über die schon Flaubert verhaßte Provinzstadt, in der sie die nächsten vier Jahre, von 1932 bis 1936, unterrichten sollte. Wanderungen in die Umgebung, die ihr in Marseille so viel bedeutet hatten, waren hier uninteressant: *Die zivilisierte, regenreiche und langweilige Normandie lockte mich nicht.*[102] Dafür war sie mit der allgemeinen Lage der Stadt zufrieden: *Ich konnte mir keinen besseren Arbeitsplatz wünschen als Rouen, eine Stunde von Le Havre* (und Sartre), *eineinhalb Stunden von Paris entfernt. Meine erste Sorge war, mir eine Dauerkarte für die Bahn zu beschaffen. Während der vier Jahre ... blieb der Bahnhof für mich Mittelpunkt der Stadt ... Es war, als lebte ich in Paris und wohnte in der äußeren Vorstadt.*[103] Und doch hinterließen die Provinz und die darin verbrachten Jahre einen starken Eindruck. Sartre und Simone de Beauvoir waren *unbekannte Lehrer*[104], die von ihrem Beruf nur wenig beansprucht, aber immerhin meist von Paris und dem geliebten Großstadtleben ferngehalten wurden. Sie hatten viel freie Zeit, aber *sehr wenige Freunde, fast keine Bekannten*[105]. Bei den Bürgern Rouens, den Eltern ihrer Schülerinnen, war Simone, obwohl sie sich im Unterricht vorsichtig verhielt, wegen ihrer freien Ideen schlecht angeschrieben. Am Lyzeum erschienen ihr die Kolleginnen, abgesehen von der politisch aktiven Colette Audry, mit der sie wegen ihrer Jugend, ihrer linken Ansichten und ihres Auftretens *so etwas wie eine Avantgarde*[106] bildete, *noch abstoßender als in Marseille, und ich verkehrte nicht mit ihnen*[107]. Sie bemühte sich zwar in Rouen, alle einheimischen Hilfsquellen[108] zur Unterhaltung auszumachen, blieb aber doch vor allem auf Sartre und die Gespräche mit ihm beschränkt, eine Abkapselung, die äußerst fruchtbar für die Entwicklung ihrer gemeinsamen Ideen wurde, aber auch beengend wirkte. Mit großer Ausführlichkeit behandelten sie alles, was ihnen unterkam, neue Ideen aus Literatur, Philosophie und Psychologie und den Nachbarn am Nebentisch. Es ging ihnen letztlich darum, *Schemata freizulegen*, die ihnen helfen würden, *die Individuen in ihrer Einmaligkeit synthetisch zu begreifen. Das*, erzählt Simone de Beauvoir, *war unsere tägliche Arbeit, und ich glaube, sie bereicherte uns mehr als jede Lektüre, jeder Beitrag von außen.*[109] (Wie häufig in bezug

Rouen

auf die Ideen und Interessen dieser Zeit trennt Simone de Beauvoir hier nicht zwischen sich und Sartre.)

Sie lasen aber auch *alles, was herauskam*[110]. Besonders beeindruckt waren sie von Célines «Reise ans Ende der Nacht». *Wir konnten viele Stellen auswendig. Sein Anarchismus schien dem unserigen verwandt. Er kämpfte gegen Krieg, Kolonialismus, Mittelmäßigkeit, Klischees und gegen die Gesellschaft in einem Stil und einem Ton, die uns begeisterten ... Welche Entspannung nach den marmornen Sätzen von Gide, Alain, Valéry!*[111] Im allgemeinen fanden Simone de Beauvoir und Sartre *die Technik der französischen Romane recht unentwickelt, verglichen mit den großen Amerikanern*[112], Hemingway, Dos Passos, Faulkner. Von ihnen konnten und wollten sie lernen, besonders von Hemingway. *Wir haßten das Wort Erotik ... weil es eine Spezialisierung enthält, die den Sexus übertrieben hervorhebt und zugleich herabwürdigt. Die Liebenden Hemingways liebten einander in jedem Augenblick mit Leib und Seele. Die Sexualität durchsetzte ihre Handlungen, ihre Gefühle, ihre Reden, und wenn sie sich zum Verlangen, zur Lust steigerte, vereinte sie die Liebenden als ungeteilte Wesen. Noch etwas gefiel uns: wenn der Mensch ganz und als Ganzheit gegenwärtig ist, gibt es keine «gemeinen Situationen». Wir hielten sehr viel von den bescheidenen Freuden des Alltags: ein Spaziergang, eine Mahlzeit, ein Gespräch. Hemingway verlieh ihnen romantischen Reiz. Er sagte uns genau, welche Weine, welche Fleischsorten seine Romanfiguren gern mochten und wie viele Gläser sie*

Colette Audry

tranken. Er notierte ihre nebensächlichsten Aussprüche. Unter seiner Feder bekamen unbedeutende Kleinigkeiten plötzlich Sinn. Hinter den schönen Geschichten von Liebe und Tod, die er uns erzählte, erkannten wir unser gewohntes Universum.[113]

Neben den Amerikanern war Kafka die große Entdeckung dieser Jahre, die ganz im Zeichen der Suche standen – *wenn wir auch wußten, vor welchen Irrtümern wir uns hüten mußten, so wußten wir doch nicht, welche Wahrheiten an ihre Stelle gehörten*[114]. *Unsere Bewunderung für Kafka war sofort grenzenlos*, schreibt Simone de Beauvoir. Sie fühlten sich ganz persönlich angesprochen: *Er deckte unsere Probleme auf, angesichts einer Welt ohne Gott, in der sich dennoch unser Heil vollzog ... Wir tasteten ebenso einsam wie K., wie der Landmesser, in den Nebelschwaden, in denen kein sichtbares Band Wege und Ziele verbindet.*[115]

Eine andere wichtige Entdeckung war die Phänomenologie Husserls. Simone de Beauvoir lernte sie zunächst durch Sartres Darlegungen kennen, las Husserl dann aber auch selbst und verstand ihn, wie Philosophie überhaupt, sehr leicht. Seine Definition des Bewußtseins als alles beherrschenden, einzigartigen Mittelpunkts der Welt, von dem aus die Dinge erst durch den Anblick ihre Existenz erhalten, gab ihnen den gesuchten Anhaltspunkt, um den herum sie ihren auf die zwischenmenschlichen Beziehungen konzentrierten Existentialismus und die Begriffe des *Anderen* und des *Blickes* entwickeln sollten. Um Phänomenologie – und nicht etwa die politische Situation – zu studieren, ging Sartre 1933/34 nach Berlin, wo ihn Simone de Beauvoir natürlich besuchte. Im Sommer reisten sie beide durch Deutschland – ein Jahr vorher hatten sie sich die Ermäßigungen, die die italienische Eisenbahn anläßlich Mussolinis «Faschistischer Ausstellung» gewährte, zunutze gemacht und Italien besucht. Die in diesen Ländern marschierenden Braun- und Schwarzhemden störten sie zwar, doch nahmen sie, wie viele ihrer Zeitgenossen, den Faschismus nicht so ernst, daß sie sich in ihren Interessen und Vergnügungen hätten stören lassen. Sie glaubten *an die ferne Zukunft*[116], die vage sozialistisch sein würde – in ihrem Haß auf das Bürgertum wünschten sie *das Ende des Kapitalismus* –, waren aber so sehr von ihrer individuellen Freiheit und ihren zukünftigen Büchern eingenommen, daß sie sich weder von der Zeitgeschichte noch von der Politik wirklich betroffen fühlten. Politische Aktion kam für sie nicht in Frage. Doch wollte Sartre stets wissen, was in der Welt vorging und las die Zeitungen *schlecht, aber eifrig*[117], Simone de Beauvoir dagegen langweilten die politischen Artikel *zu Tode*: ... *ich konnte sie nicht durcharbeiten.*[118] Wenn der Freund zu viel Zeit über dieser Lektüre verbrachte, wurde sie ungeduldig.

Etwas studierten sie jedoch gemeinsam in den Zeitungen: Kriminalberichte. *Alle, die auf die eine oder andere Art ihre Zugehörigkeit zur zivilisierten Menschheit verleugneten*[119], faszinierten sie. Wie so viele romantische und nachromantische Künstler und Intellektuelle huldigten sie einer «*oppositionellen Ästhetik*». *Jede Abweichung von der Norm befriedigte unseren Anarchismus; das Monströse faszinierte uns.*[120] Auf ihren nächtlichen Streifzügen durch Cafés und Bars fühlten sie sich besonders *zu den Narren, den Huren, den Bettlern*[121] hingezogen. Im Kino liebten sie Gangster- und Wildwestfilme aus Amerika, in der Lektüre Kriminalromane. Hinter all diesen Interessen lagen der Wunsch, über den eigenen beschränkten – und zivilisierten – Erfahrungskreis hinaus Einblick in den Menschen und sein Verhältnis zur Gesellschaft zu gewinnen, der Glaube, *extreme Fälle spiegelten in entschlackter, packend plastischer Form Haltung und Leidenschaften der Menschen, die man normal nennt*[122], und das Bedürfnis, der Monotonie und Klaustrophobie, mit der das Älterwerden, die Provinz und vielleicht auch die Enge der gegenseitigen Beziehungen manchmal drohten, zu entfliehen.

In Simone de Beauvoirs Fall ging aber das Fluchtbedürfnis noch tiefer. Sie wollte, wie sie später in einem Interview sagte, viele Jahre *außerhalb von allem leben*[123], politisch und persönlich. In den Memoiren spricht sie von einer *Ablehnung des Menschlichen*, in der sie lange verharrt und auf die sich auch ihre Ästhetik gegründet habe: *Ich liebte Landschaften, die menschenleer schienen, ich liebte Kulissen, die mir die Gegenwart von Menschen verbargen: das Malerische, das Lokalkolo-*

rit.[124] Hier war sie der *Mittelpunkt der Welt*[125]. Aber auch den Mitmenschen gegenüber glaubte und wünschte sie das alleinige Bewußtsein, das Subjekt zu sein, um das die anderen als Objekte kreisten, *widerwärtige, lächerliche oder spaßige Personen, die keine Augen hatten, mich zu sehen: ich war der einzige Blick*[126]. (Husserl und Sartres Terminologie halfen ihr hier etwas auszudrücken, was sie schon immer gefühlt hatte.) Wenn sie die Leute beobachtete – und das tat sie in ihrem Stadtalltag sehr gern –, zeichnete sie sich eher durch *Neigung zur Unduldsamkeit* als durch Menschenkenntnis aus. *Ich mochte lieber urteilen als verstehen*[127], bekennt sie – eine Tendenz, die sich, wie manchem Leser der Memoiren aufgefallen ist, nie ganz verlor. Ihre Haltung drückte einerseits eine gewisse Herrschsucht, andererseits Angst aus. Simone de Beauvoir fühlte sich durch den Mitmenschen, wenn sie ihn zu nahe an sich heranließ, in ihrer Souveränität, ihrer Sicherheit und ihrem Glück bedroht, letzten Endes auch, wie wir gesehen haben, in der Liebe, wo sie fürchtete, sich in dem Glauben *«Wir sind eins»*[128] ganz aufzugeben. *Die Existenz des Anderen*, bekennt sie, *blieb für mich stets eine Gefahr, und ich konnte mich nicht entschließen, ihr freimütig ins Auge zu sehen ... ich blieb immer in Abwehrstellung.*[129]

Doch nun in der Provinz, *dieser erstickenden Atmosphäre, in der die geringste Begierde, das leiseste Bedauern zu einer Zwangsvorstellung werden konnten*[130], wurde sie dazu gezwungen, sich diesem Problem zu stellen. Oberflächlich gesehen handelte es sich um eine Eifersuchtsgeschichte. Simone de Beauvoir hatte eine beiläufige, etwas herablassende Freundschaft mit einer Schülerin, Olga Kosakievicz, begonnen. Sartre, dem das Erwachsensein besonders schwerfiel, fühlte sich ebenfalls, aber stärker, von der spontan in den Tag hineinlebenden jungen Russin angezogen und schlug vor, ein Trio zu bilden. Dieser Versuch, eine neue Form des Zusammenlebens auszuprobieren, artete – nicht sehr überraschend – in eine *Miniaturhöllenmaschine*[131] aus. Simone de Beauvoir tat zwar ihr Bestes, keine Eifersucht zu zeigen, und auch Sartre *gab sich immer größte Mühe, nichts zu sagen oder zu tun, was unsere Beziehungen hätte ändern können*[132]. Trotzdem kam es zu ernsthaften Mißverständnissen, die ihr schmerzlich klarmachten, *daß es falsch war, einen anderen und mich selbst unter die Zweideutigkeit des bequemen Wortes «wir» zu zwingen*[133]. In seinem Verhältnis zu Olga hatte Sartre *Anwandlungen von Unruhe, Wut und Freude, wie er sie mit mir nicht kannte*[134]. Der vertraute Mann enthüllte hier eine fremde, der Gefährtin bei aller Verständnisbereitschaft gänzlich unzugängliche Existenz. Und Olga gewann durch sein Interesse plötzlich eine bedrohliche Wichtigkeit. *Damals*, schreibt Simone de Beauvoir in den Erinnerungen über das Verhältnis, das später zu einer ruhigen, dauerhaften Freundschaft wurde, *war ich unfähig, mir Olgas Launen vom Leibe zu halten.*[135] *Wenn ich durch ein Wort, eine Geste, eine Entscheidung ihr Mißfallen erregt hatte, kam ich mir für immer ganz und gar verabscheuenswert vor ... Ich litt darunter.*[136] *Nein, die Gedanken der Menschen waren nicht bloß harmlose kleine Rauchwölkchen im Innern ihrer Köpfe, sie überzogen die Erde, und ich löste mich darin auf. Olga zwang mich, einer Wahrheit ins Gesicht zu sehen, der ich bisher, wie schon gesagt, mit Erfolg ausgewichen war: andere existieren genauso wie ich und mit gleicher Evidenz.*[137]

Was Simone de Beauvoir hier unmittelbar und schmerzhaft erlebte war eines der Grundprobleme, mit denen sich der Existentialismus auseinandersetzte, die Konfrontation des eigenen mit einem fremden Bewußtsein. Sie ist feindlich, weil das Ich sich selbst als Absolutes erlebt und die unvermeidliche Erkenntnis, daß auch der Mitmensch, der andere, ein Bewußtsein hat, als Bedrohung empfindet. Denn der fremde Blick, der nicht nur die Dinge, sondern auch das Ich auf seine Art sieht und in einer um ihn zentrierten Welt anordnet, beraubt und vernichtet es ja.

Während sich nun Sartre rein theoretisch mit diesen Ideen beschäftigte, bekamen sie für Simone de Beauvoir erst in dem Moment Bedeutung, in dem ihr Leben sozusagen Demonstrationsobjekt wurde. Dieser persönliche, unmittelbare Bezug ist charakteristisch für ihr Verhältnis zu philosophischen Fragen im allgemeinen. Hören wir, wie ihn die Autorin selbst versteht und in ihrem Roman *Sie kam und blieb* auf die Helden projiziert darstellt: – *Ich muß mich über dich wundern, sagte Pierre. Du bist der einzige Mensch, den ich kenne, der imstande ist, Tränen bei der Entdeckung zu vergießen, daß ein anderer ein Bewußtsein hat wie er selbst ... – Was mich wundert, ist, daß du dich auf eine so konkrete Weise von einer metaphysischen Situation betroffen fühlen kannst. – Aber das ist doch etwas Konkretes, sagte Françoise. Der ganze Sinn meines Lebens steht dabei auf dem Spiel. – Dagegen sage ich auch nichts, meinte Pierre ... Aber es ist ungewöhnlich, wie du eine Idee in dieser Weise mit Leib und Seele erlebst. – Aber für mich, sagte Françoise, ist eben eine Idee nichts Theoretisches; man erlebt sie, oder sie bleibt Theorie, und dann zählt sie nicht.*[138]

L'Invitée [*Sie kam und blieb*], 1938 begonnen und 1941 beendet, war der erste Roman, mit dem es Simone de Beauvoir gelang, nach langjährigen, mit Zähigkeit betriebenen Schreibversuchen, die entweder in der eigenen Schublade oder – im Fall einer Sammlung von Erzählungen: *La Primauté du Spirituel*[139] – auf dem Tisch eines Lektors ihr Ende fanden, den Durchbruch zur wirklichen Schriftstellerin zu schaffen. *Die unselige Erfahrung des Trios lieferte mir nicht nur ein Romanthema; sie gab mir, was viel mehr war, auch die Möglichkeit, damit fertig zu werden*, heißt es in den Memoiren. Die *Andere* hatte, so meint Simone de Beauvoir, zum erstenmal – *seit die Langeweile und die*

Sklaverei meiner Jugend mich entließen[140] – so ernsthaft ihr Glück und ihre Sicherheit bedroht, daß Schreiben von der pflichtschuldigen Übung zu Notwendigkeit wurde. *Die Literatur,* glaubt sie wie Sartre, *tritt in Erscheinung, wenn irgend etwas im Leben aus den Fugen gerät.*[141]

Sie kam und blieb erzählt die Geschichte eines ungewöhnlichen Dreiecksverhältnisses, eines Trios. Die Heldin Françoise, eine Schriftstellerin, lebt schon lange in freier Liebe mit dem Schauspieler und Regisseur Pierre, für den sowohl Sartre als auch der bekannte Schauspieler und Regisseur Charles Dullin Modell standen. Als sie sich jedoch der jungen Xavière annimmt, und auch Pierre sich für das Mädchen zu interessieren beginnt, zerfällt ihr Glück. Während sich Simone de Beauvoir zu vielen autobiographischen Zügen in Françoise bekennt, behauptet sie, Olga *systematisch* entstellt zu haben[142], allerdings vielleicht nicht ganz so sehr, wie sie in den Memoiren aus Rücksicht auf die Freundin glauben macht. Denn das kapriziöse, eigensinnige, seinen Egoismen und Launen lebende junge Mädchen, dem wir in Xavière zum erstenmal begegnen, kehrt in den Romanen immer wieder. Für Simone de Beauvoir war gerade solch ein Geschöpf, dessen Rebellion und Spontaneität sie im Grunde bewunderte, die wirklich *Andere,* in deren Augen sich die eigene Verläßlichkeit und Beherrschtheit plötzlich deutlich und in negativem Licht spiegelten: ... *dieser Block aus durchsichtiger, kahler Weiße, mit den rauhen Graten, das war sie, gegen ihren Willen und ohne daß etwas dagegen half.*[143] *Unverrückbar wie ein gegebenes Wort. Streng und rein wie ein Gletscher. Ergeben, verschmäht, in hohle moralische Begriffe hartnäckig verkrampft*[144], heißt es im Roman von Françoise, was zwar kein Selbstporträt der Autorin ist, wohl aber eine Zeichnung des Bildes von sich, dem sie in den Augen der anderen oft begegnete.

In der Fiktion geht die Macht, die Xavière über die ältere Freundin gewinnt, so weit, daß diese nur noch durch sie lebt, nur noch durch sie sieht. «*Sie oder ich*», beschließt Françoise als einzigen Ausweg und ermordet die Nebenbuhlerin, nicht aus gewöhnlicher, sondern aus metaphysischer Eifersucht. (Simone de Beauvoir stellte dem Roman ein Hegel-Zitat als Motto voran: *Ebenso muß jedes Bewußtsein auf den Tod des anderen gehen.*) Zum Zeitpunkt des Mordes besteht kein praktischer Grund für Françoise, sich durch die andere verdrängt zu fühlen. Pierre ist ganz zu ihr zurückgekehrt, und sogar der junge Liebhaber Xavières hat sich ihr zugewendet. Doch weil Xavière alles so sieht, wie sie eben will, und Françoise, die sich selbst nicht schuldig glaubte, beschimpft, *eifersüchtig, eine Verräterin, eine Verbrecherin* zu sein, fühlt die sich trotzdem aus ihrer eigenen Welt verstoßen. Solange ihr diese *feindliche Gegenwart – nur für sich selbst existierend, ganz in sich selbst reflektiert, alles verneinend, was nicht sie selber war* – gegenübersteht, ist Françoise *ganz in den Händen dieses räuberischen Be-*

wußtseins und genau das, was dieses Bewußtsein will: *Xavière existierte, der Verrat war da. Und auch sie ist da, meine Rolle als Verbrecherin.*[145] Erst mit dem Mord ergreift die Heldin wieder Besitz von sich und ihrer Welt. *Sie hatte sich gewählt*, sind die letzten Worte des Romans.

Simone de Beauvoir war später mit ihrem Schluß nicht ganz zufrieden. Sie hielt den Mord für psychologisch nicht gut motiviert: *Françoise, wie ich sie dargestellt habe, ist dazu genauso unfähig wie ich*[146], erklärte sie, hielt den Roman aber doch im allgemeinen für ihren besten, und vielleicht mit Recht. Von der Kritik wurde er, als er 1943 erschien, sehr günstig aufgenommen – schon damals zog man die Autorin für den Prix Goncourt in Betracht – und dann häufig als Prototyp des existentialistischen oder, wie Simone de Beauvoir und der befreundete Philosoph Merleau-Ponty ihn nennen sollten, *metaphysischen Romans* besprochen. Wie schon der Name sagt, und wie wir soeben gesehen haben, geht es darin um existentielle, metaphysische Fragen, nicht um gesellschaftliche oder psychologische Probleme. Der Held oder die Heldin finden sich – wie bei Kafka werden sie aus einem anfänglichen Gefühl der Sicherheit herausgerissen – in einer menschlichen Grundsituation, die ihnen unlösbar und skandalös erscheint. Was gebracht wird sind jedoch keine philosophischen Ideen als solche, sondern Alltagserfahrungen der Charaktere (Hemingway war in dieser Hinsicht ein Vorbild). Denn, wie der Philosoph Merleau-Ponty in seinen Ausführungen über den metaphysischen Roman, denen er *Sie kam und blieb* zugrunde legte, erklärt, war es die besondere Leistung der existentialistischen Philosophie, klar erkannt und bewußt praktiziert zu haben, daß jedes Leben als «latente Metaphysik» und jede Metaphysik als «Erklärung des menschlichen Lebens» anzusehen sei.[147] Deshalb habe die philosophische Sprache, wenn es sich darum handle, die Erfahrung der Welt auszudrücken, dieselbe Ambiguität wie die literarische, während Roman und Theater auch ohne jedes philosophische Vokabular Metaphysik brächten. Prinzipielle, allgemeingültige Lösungen zu den dargestellten Fragen gibt es keine, nur die freie Entscheidung des Individuums. In *Sie kam und blieb* steht am Ende die einsame Gewalttat. Simone de Beauvoir wurde stets vom Verbrechen als extremer Möglichkeit der Selbstbehauptung und Eigenverantwortlichkeit fasziniert, wußte aber natürlich, daß *das Problem des Miteinanderlebens* durch Mord nur auf eklatante Weise zum Ausdruck gebracht, nicht aber behoben wurde. Für sie selbst war die persönliche und literarische Auseinandersetzung mit dem Problem der endgültige Schritt aus der *illusorischen Souveränität meiner zwanzig Jahre: Ich hatte Sinn für die Existenz des anderen bekommen.*[148]

Krieg und Okkupation

Das Kapitel «Provinz» war abgeschlossen[149], als Simone de Beauvoir 1936 und Sartre 1937 nach Paris versetzt wurden. Sie unterrichtete zuerst am Lycée Molière, dann am Camille Sée. Natürlich wohnte sie nicht in der Nähe dieser Schulen, sondern «zu Hause» am linken Seineufer, seit Sartres Rückkehr im selben Hotel wie er, aber eine Etage höher. *Wir hatten so die Vorteile eines Lebens zu zweit und keine seiner Unannehmlichkeiten.*[150] Beide schrieben fleißig, Simone de Beauvoir an *Sie kam und blieb*, von dem sie endlich die Gewißheit hatte, *daß ich es beenden, daß es veröffentlicht werden würde*[151]. Sartre gelang es, das Werk vieler Jahre, «Melancholia», bei Gallimard unterzubringen. Es erschien 1938 unter dem Titel «La Nausée» [«Der Ekel»]. Allmählich begann sich zu erfüllen, was sie von sich und für sich von der Zukunft erwartet hatten.

Nur hatten sie nicht mit der Zeitgeschichte gerechnet, ja, Simone de Beauvoir hatte sich, wie wir sahen, bemüht, die politischen Ereignisse so gut wie möglich zu ignorieren. Erst als der Bürgerkrieg in Spanien ausbrach, fühlte sie sich selbst betroffen. Sie hatte auf ihren Reisen mit Sartre die Republik Spanien kennen und lieben gelernt. Einer ihrer besten Freunde war Spanier. Sie wünschten . . . *von ganzem Herzen, daß Frankreich seinem Land zu Hilfe kommen würde*[152], aber *nach Spanien gehen* – wie andere ihrer Generation, die Freundin Colette Audry zum Beispiel – *davon*, erklärt Simone de Beauvoir in ihren Erinnerungen etwas entschuldigend, *konnte keine Rede sein. Unser Leben war nicht auf eine so impulsive Tat angelegt. Im übrigen lief man nur Gefahr, als Wichtigtuer zu gelten, wenn man keine entsprechenden technischen oder politischen Fähigkeiten mitbrachte.*[153] Ihre Aufgabe sah sie bei aller Sympathie für das Schicksal Spaniens weiterhin darin, *mein persönliches Leben zu bereichern und zu lernen, es in Worte umzusetzen*[154].

Daß die politischen Ereignisse viel näher rücken und sie selbst berühren könnten, daß es einen Krieg mit Deutschland geben würde, das wollte Simone de Beauvoir, wie so viele andere damals, nicht glauben. Ja, im Gegensatz zu Sartre überlegte sie sich sogar: *Ein Frankreich im Krieg, ist das nicht schlimmer als ein nazistisches Frankreich?*[155] Nicht, daß sie mit dem Faschismus sympathisiert hätte – *Er stand im Widerspruch zu allen Ideen, auf die mein Leben sich gründete*[156] –, doch fragte sie sich, wie andere Intellektuelle auch, ob sie das Recht hätte, *die Hirten der Basses-Alpes, die Fischer von Douarnenez zur Verteidigung unserer Freiheiten in den Tod zu jagen?*[157] Erst im Frühjahr 1939 ließ sie sich durch Sartre von ihrem Pazifismus abbringen.[158] Dennoch hoffte sie weiterhin, daß es nicht zu einem Krieg kommen würde: *«Mir kann so etwas nicht passieren, nicht der Krieg, nicht mir.» Hitler würde nicht wagen, Polen anzugreifen, der Dreierpakt würde zustande kommen und ihn einschüchtern.*[159]

Hitler wagte noch viel mehr. Er besetzte nicht nur Polen, sondern – nach beschämend kurzem Kampf – Paris und die nördliche Hälfte Frankreichs. *Plötzlich*, erinnert sich Simone de Beauvoir, *ergriff die Geschichte von mir Besitz, ich zerbarst und fand mich über die ganze Welt verstreut wieder, mit allen Fasern an alle und jeden gebunden. Ideen, Werte, alles wurde umgestürzt; selbst das Glück verlor seine*

Mit einer Schulklasse am Lycée Molière

Mit Lise (Nathalie Sorokine), um 1943

Bedeutung.[160] Aus der unpolitischen, in einer hauptsächlich ästhetischen Opposition gegen ihre französische bürgerliche Umwelt gefangenen Individualistin wurde eine geistig, gesellschaftlich und schließlich politisch zutiefst engagierte Frau, die Verantwortung für andere, Solidarität mit anderen, zum obersten Prinzip ihres Lebens erhob und von Frankreich auf die ganze Welt ausdehnte. Freilich erfolgte diese Wandlung nicht ganz so explosiv, wie die eben zitierte Darstellung aus den Memoiren suggeriert. Der Weg zum «Engagement» und den verschiedenen Formen, die es im Laufe von Simone de Beauvoirs Leben annahm, war ein langsamerer. Nicht nur die Zerstörung der Vorkriegswelt und die Okkupation, sondern auch die Enttäuschung, ja Verzweiflung über die Entwicklung Frankreichs und Europas nach dem Krieg wurden dabei zu wichtigen Etappen.

Zunächst erlebte Simone de Beauvoir den Krieg als Frau, in der Angst um den geliebten Mann. Sartre mußte an die Front und dann in ein Kriegsgefangenenlager. Simone, die sich gewöhnlich als «Ausnahmefrau» fühlte, teilte nun das Schicksal aller Frauen im Krieg – flüchtige Besuche, Warten, Sorgen. Zu keiner Zeit scheint sie ihre Verbundenheit mit den Geschlechtsgenossinnen tiefer erlebt zu haben, als wenn sie versuchte, sich zu Sartre in die Etappe zu schwindeln, Pakete für ihn packte, ihn zum Urlauberzug brachte.[161]

Das eigentliche Solidaritätserlebnis der Besatzungsjahre entsprang aber dem Haß auf die «Feinde», der sie mit allen jenen verband, die sowohl gegen die Deutschen als auch gegen die Vichy-Regierung waren. *Meine Emotionen, meine Hoffnungen, meine Angst, meine Auflehnung teilte ich mit einer Menge, die zwar kein Gesicht hatte, deren Gegenwart sich mir jedoch mitteilte. Sie war überall, außerhalb meiner Person und in mir. Sie äußerte ihre Erregung, ihren Haß im Schlag meines Herzens.*[162] Während Simone de Beauvoir Hitler und die Nazis als *ein fremdes Universum objektiv haßte, mit einer gewissen Gelassenheit*[163], verabscheute sie *Pétain, die «Nationale Revolution» . . . höchst subjektiv und mit einer Wut, die täglich neu aufflammte*[164]. *Die «Botschaften» Marschall Pétains liefen Sturm gegen alles, was in meinen Augen Wert hatte, und vor allem gegen die Freiheit . . . Ich erkannte die gleiche eifernde Borniertheit wieder, die meine Kindheit überschattet hatte. Nun unterjochte sie von Amts wegen das ganze Land.*[165] Wenn einer aus ihren Reihen, ein Intellektueller, kollaborierte, fand sie es ganz besonders verdammenswert. *Ich betrachtete die Artikel von Déat und Brasillach, ihre Denunziererei, ihre Aufrufe zum Mord als . . . unverzeihlich*[166], schreibt sie in ihren Memoiren und blieb auch nach dem Krieg, als man sie um ihre Unterschrift unter ein Gnadengesuch für den wegen seiner Kollaboration zum Tode verurteilten Schriftsteller Brasillach bat, hart.

Zum aktiven Widerstand gehörte Simone de Beauvoir aber nicht. Zwar gründete Sartre, als er 1941 aus der Kriegsgefangenschaft zurück nach Paris kam, eine Widerstandsbewegung, *Sozialismus und Freiheit* – er wollte sich von nun an sowohl geistig als auch *durch die Tat engagieren*[167] –, und sie unterstützte ihn dabei vor allem in seinen Bemühungen, Kontakt mit anderen Organisationen aufzunehmen. Doch scheiterte der Versuch sehr rasch an dem mangelnden Entgegenkommen der Kommunisten und den Skrupeln, die das Paar sich machte, die Kameraden nutzlos (ohne Kooperation war ihre Gruppe zu unbedeutend) dem Risiko der Deportation auszusetzen. Als Sartre, von diesem Mißerfolg enttäuscht, sich wieder hartnäckig ans Schreiben machte, war Simone de Beauvoir sehr zufrieden: *Es war die einzige ihm mögliche Form des Widerstandes.*[168] Auch für sich, und für sich ganz besonders, sah sie im rein geistigen Widerstand und in der schriftstellerischen Auseinandersetzung mit den durch die Besetzung für sie akut gewordenen Fragen die eigentliche Aufgabe, an der sie mit größtem Eifer arbeitete. Wir werden auf die Werke, die Simone de Beauvoir unter dem Eindruck des Kriegs- und Okkupationserlebnisses schrieb, im nächsten Kapitel näher eingehen. Zunächst wollen wir dieses Erlebnis selbst genauer verfolgen.

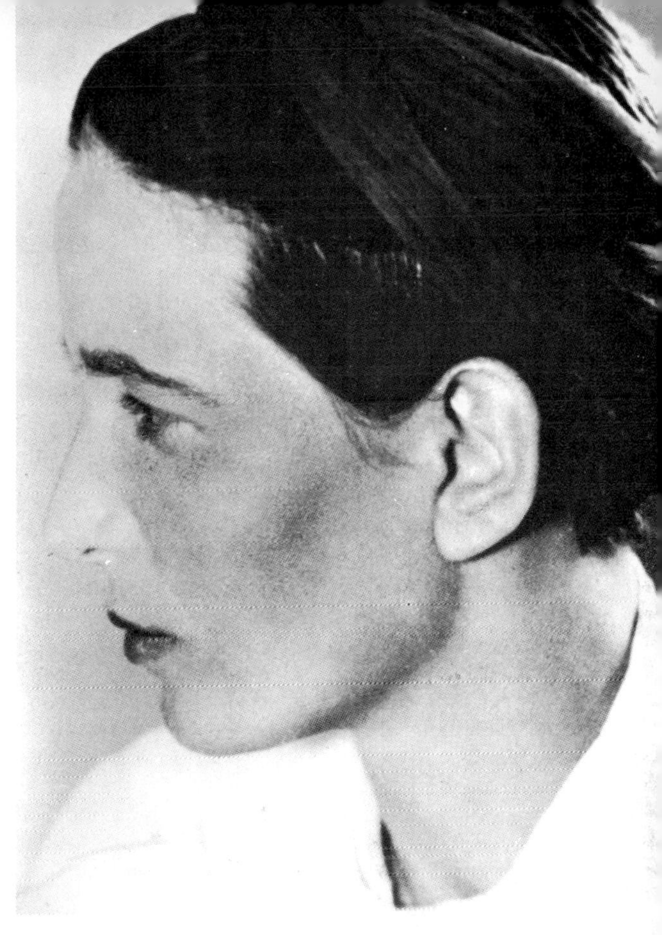

1938

Persönlich hatte sie während der Besetzung relativ wenig zu fürchten oder zu leiden. 1943 jagte man sie allerdings wegen *Verführung Minderjähriger* aus dem Schuldienst: Sie war gleich zu Beginn der Okkupation bereit gewesen, eine eidesstattliche Erklärung zu unterschreiben, daß sie keine Jüdin sei, um weiter unterrichten zu können. Als man aber nun von ihr verlangte, Lise, einer Schülerin, die sich ihrem Kreis angeschlossen und mit einem jungen Dichter, noch dazu einem spanischen Juden, zusammengetan hatte, zuzureden, zu den Eltern und zur «guten Partie» zurückzukehren, weigerte sie sich und wurde auf die Beschwerden der Mutter hin prompt entlassen. Doch war sie des Unterrichtens – trotz dem Respekt, den sie stets für ihren erlernten Beruf bekundete – ohnehin schon etwas müde geworden und über ihre Entlassung keineswegs unglücklich, da sie bei Radio

Nationale schnell einen neuen Broterwerb als Programmgestalterin fand. Die allgemeinen materiellen Entbehrungen dieser Jahre ertrug Simone de Beauvoir ziemlich leicht. Ja, sie gewann den reduzierten Verhältnissen sogar gute Seiten ab: *Eine Menge Konventionen, Zimperlichkeiten, Anstandsregeln wurden weggefegt. Die Bedürfnisse waren auf ihre Wahrheit reduziert, das gefiel mir.*[169] Gefährliche Unternehmungen ging sie nicht ein. Als Sartre 1943 einem antifaschistischen Schriftstellerverband, dem C. N. E., beitrat, blieb sie fern, allerdings wohl kaum aus Vorsicht, sondern eher, weil sie die Zusammenkünfte für langweilig hielt. Die Teilnahme und die Berichte Sartres genügten ihr vollkommen.

Was Simone de Beauvoir, die so sehr unter den Beschränkungen ihrer Jugend gestöhnt und die Unabhängigkeit und die Zukunftshoffnungen ihrer zwanziger Jahre so bewußt genossen hatte, jedoch sehr zu schaffen machte war die Unfreiheit, die räumliche, zeitliche und in gewisser Hinsicht geistige «Gefangenschaft» jener Jahre. Sie *richtete* sich zwar *in der Gegenwart ein. Aber die Gegenwart bedeutete einst ein fröhliches Pläneschmieden, die Zukunft füllte sie aus. Auf sich selbst beschränkt zerfiel sie. Der Raum und die Zeit waren geschrumpft. Vor zwei Jahren lag Paris im Mittelpunkt der Welt, die meiner Neugier weit offen stand; heute war Frankreich ein überwachtes, von der Welt abgeschnittenes Domizil.*[170] Trotz aller positiven Entschlüsse fiel es ihr schwer, der Angst, daß der Nazismus *zehn, ja zwanzig Jahre an der Macht*[171] bleiben könnte, zu begegnen. Noch schwerer traf sie das immer häufiger werdende Verschwinden von Freunden und Bekannten, weil sie hilflos zusehen mußte, und weil sie sich zutiefst mit diesem sinnlosen Untertauchen in Schweigen und Tod identifizierte.

Seit sie sich als Fünfzehnjährige ihrer Sterblichkeit mit Schrecken bewußt geworden war, hatte sie dieses Wissen, mit seinem grausamen Spiel von *Angst und Gewißheit* nicht mehr losgelassen. Doch *nie*, so erklärt sie, *hatte mir der Gedanke an meinen Tod, an den der anderen so zu schaffen gemacht wie in diesen Jahren*[172]. *Sicher sterbe ich in meinem Bett,* notierte sie (*eines Nachts im Juni 1944*), als sie versuchte, ihre häufigen, zwischen Wachen und Träumen schwebenden Konfrontationen mit dem gefürchteten Ende durch Worte zu beschwören. *Mein Bett macht mir angst – ein Nachen, der mich forträgt, Schwindel. Ich entferne mich immer weiter vom Ufer, starr, bei mir ist jemand, der spricht und lächelt, und sein Gesicht verschwimmt an der Oberfläche des Wassers, in das ich sinke, ich sinke und gleite, und ich bin unterwegs, nirgendwohin, auf meinem Bett, das Wasser, die Zeit, die Nacht hinab.*[173] So friedlich sogar ihr dieses Vergehen manchmal vorkommen wollte, Simone de Beauvoir liebte das Leben zu sehr, um den Tod nicht stets als Skandal zu empfinden. *Die Freude, zu existieren, und das Grauen vor dem Ende*[174] waren die zwei Pole ihres Daseins, zwischen denen sie bis ins Alter mit großer Heftigkeit hin- und herschwankte.

Nun wurden um sie herum Menschen, die genau so am Leben hingen wie sie, durch die simple Willkür anderer hinweggerafft. *Er hatte gesagt: «Ich werde nicht sterben, weil ich nicht sterben will.» Er hatte sich dem Tod nicht freiwillig gestellt, der Tod war ohne seine Einwilligung über ihn hergefallen*[175], dachte sie betroffen, als sie von dem Tod eines jungen Juden, des Freundes von Lise, den auch sie fast mütterlich geliebt hatte, erfuhr. *Seine Abwesenheit lag quälend auf der ganzen Welt. Und diese Welt war dennoch ausgefüllt. Es bleibt auf ihr kein Platz für jemanden, der seinen Platz nicht mehr einnimmt. Was für eine Trennung! Welcher Verrat! Mit jedem Schlag unseres Herzens verleugnen wir sein Leben und seinen Tod. Eines Tages würden wir ihn ganz vergessen. Eines Tages werde ich dieser Abwesende, dieser Vergessene sein.*[176] Die Schuldgefühle der Überlebenden, Vergessenden mischen sich mit der Angst vor dem eigenen Ende und Vergessenwerden zu einem damals oft beinahe überwältigenden Gefühl der Sinnlosigkeit menschlicher Existenz, *der grausigen Willkür unseres Sterblichseins*[177].

Doch fand sie während der Okkupation auch einen Weg zur teilweisen geistigen Bejahung des Todes, und zwar in der Wahrheit von Aussprüchen, *die ich immer für hohl hielt: man muß bereit sein zu sterben, wenn keine andere Möglichkeit mehr bleibt, das Leben zu retten. Der Tod ist nicht immer ein absurdes, einsames Unglück. Manchmal stellt er eine lebendige Bindung zu anderen her; dann hat er Sinn und Rechtfertigung gefunden.*[178] Das Gefühl der Solidarität, besonders mit all denen, die gefährdet waren oder sich freiwillig der Gefahr aussetzten, ließ sie nun glauben, daß der Tod zwar *unsere Existenz anficht*, aber *zugleich . . . der Schlüssel zu jeder Kommunikation* ist. *Wäre unser Leben unendlich, es löste sich in der Gleichgültigkeit des Universums auf.*[179]

Nicht nur das Grauen vor dem Ende, auch die Freude, zu existieren, erlebte Simone de Beauvoir während der Okkupation mit größter Intensität, besonders in den letzten Kriegsjahren. Sie war glücklich über den Erfolg ihres ersten Romans und freute sich über das Ansehen, das Sartre zu genießen begann. Gerade unter der Okkupation, während der sie eifrig weiterproduzierten und wenn möglich veröffentlichten – was man ihnen später manchmal vorgeworfen hat –, fanden die beiden nicht nur aktiven Anschluß an ihre Zeit, sondern wurden mit ihren Themen der persönlichen Freiheit und Verantwortlichkeit auch zu Sprechern des Neuen darin. Ihr Freundes- und Bekanntenkreis erweiterte sich enorm, vor allem um damalige und zukünftige Größen der Literatur- und Kunstwelt, unter anderen Albert Camus, mit dem sie enge Freundschaft schlossen, Jean Genet, Michel

Marcel Mouloudji

Michel Leiris

Leiris, Marcel Mouloudji, Raymond Queneau, Armand Salacrou, Georges Bataille, Jean Cocteau, Alberto Giacometti, Pablo Picasso und Dora Marr. Mit vielen von ihnen trafen sie sich häufig im «Café Flore» am Boulevard St. Germain-des-Prés, das während der Besetzung zum Stammcafé Simone de Beauvoirs und Sartres wurde (früher war es das «Dôme» in Montparnasse gewesen), da es dort einen warmen Ofen, aber keine Deutschen gab, und sprachen über die gemeinsamen Hoffnungen und Befürchtungen. *Wir brauchten nur zusammen zu sein und schon fühlten wir uns einig und stark.* Die Niederlage der Deutschen begann sich allmählich abzuzeichnen. *Dann würde die Zukunft wieder offenstehen, und es wäre an uns, sie vielleicht politisch, bestimmt aber geistig zu formen. Wir sollten der Nachkriegszeit eine Ideologie liefern. Wir hatten klare Vorstellungen ... Seite an Seite wollten wir einen neuen Anlauf nehmen. Aus diesem Grunde besaßen diese Freundschaften für mich, trotz meiner 36 Jahre, die mitreißende Frische von Jugendfreundschaften.*[180]

Mit den neuen und einigen alten Freunden und Bekannten feierte Simone dieses Zusammengehörigkeitsgefühl und die erstarkenden Zukunftshoffnungen in ganz besonderen Festen, den «fiestas», für die sie schon lange voraus Essen und Getränke horteten. Seither spielt

Raymond Queneau

André Breton

der Begriff des Festes, dem schon die Surrealisten – und viele der neuen Freunde kamen ja aus dieser Bewegung – große Bedeutung beigemessen hatten, eine wichtige Rolle in ihrem Denken. *Für mich*, erklärt sie, die in ihrer Studienzeit viel für den Surrealismus übrig hatte und die einschlägigen Ideen kannte, ihre eigene auf die Gegenwart bezogene Definition, *ist das Fest vor allem eine glühende Apotheose der Gegenwart im Angesicht der ungewissen Zukunft. Aus einer Reihe glücklicher Tage, die in Ruhe verfließen, erwächst kein Fest: aber wenn im Unglück die Hoffnung sich regt, wenn man die Welt und die Zeit wieder in den Griff bekommt, dann flammt der Augenblick auf; der Horizont in der Ferne ist immer noch trübe . . . und daher ist jedes Fest pathetisch . . . immer spürt man den Bodensatz des Todes in diesem lebendigen Rausch; aber der Tod wird einen gleißenden Augenblick lang ins Nichts verwiesen.*[181]

Das größte aller Feste war die Befreiung von Paris. Enthusiastisch erzählt Simone de Beauvoir in ihren Memoiren von dem berauschenden Glücks- und Solidaritätsgefühl, das sie damals mit ihren Landsleuten verband: *Um sechs Uhr morgens lief ich den Boulevard Raspail hinauf. Die Division Leclerc defilierte auf der Avenue d'Orléans, und eine riesige, dichtgedrängte Menschenmenge jubelte ihr zu . . . Von*

«Café Flore», im Vordergrund «Café des Deux Magots»

Zeit zu Zeit krachte ein Schuß – ein Heckenschütze . . . Die Begeisterung erstickte die Furcht. Den ganzen Tag bummelte ich mit Sartre durch das beflaggte Paris, ich betrachtete die festtäglich herausgeputzten Frauen, die den Soldaten um den Hals fielen . . . Was für ein Aufruhr in meinem Herzen! Es kommt selten vor, daß man mit einer lang ersehnten Freude im Augenblick der Erfüllung noch übereinstimmt; ich hatte dieses Glück.[182]

Sie sah der Zukunft mit Vertrauen entgegen. Freilich, die Welt hatte sich geändert: *Nicht einmal der Sieg konnte die Zeit zurückdrehen und eine vorübergehend gestörte Ordnung wiederherstellen; er eröffnete eine neue Epoche, die Nachkriegszeit . . . Und die Geschichte karrte eine riesige Ladung unstillbaren Schmerzes, vermischt mit glorreichen Augenblicken.*[183] Erst jetzt erfuhr man Genaueres über die Tätigkeit der Gestapo, über Folterungen und Geiselhinrichtungen. Berichte über die Zerstörung Warschaus erschienen in den Zeitungen: *Diese brutal entlarvte Vergangenheit erfüllte mich mit Grauen. Die Lebensfreude wich der Scham, es überlebt zu haben.*[184] Doch nicht für lange. Simone de Beauvoir gab die Glückssuche, die sie vor dem Krieg beherrscht hatte, nicht auf, sondern erweiterte sie nun auf die Welt: *Ganz Paris hatte sich in mir verkörpert, und auf jedem Gesicht erkannte ich mich wieder. Die Intensität meiner eigenen Gegenwart betäubte mich, und sie schenkte mir in wunderbarer Verbundenheit die Gegenwart aller anderen. Es waren mir Flügel gewachsen, und von nun*

Die Befreiung von Paris. Szene an der Place de la Concorde

an wollte ich mich über die Enge meines persönlichen Lebens erheben und in der Weite des Kollektivs schweben. Mein Glück würde das wunderbare Abenteuer einer sich neu erschaffenden Welt spiegeln.[185] Doch blieb sie sich der Schattenseite bewußt: *Das Ärgernis, das Scheitern, den Schrecken kann man weder kompensieren noch überwinden, das wußte ich für immer. Ich sollte nie wieder in das schizophrene Delirium zurücksinken, das jahrelang das Universum scheinbar unters Joch meiner Pläne gezwungen hatte . . . ich gab nicht mehr vor, meiner Situation zu entkommen. Ich versuchte, sie auf mich zu nehmen. Von nun an wog die Realität voll*[186] (für die spätere Marxistin allerdings noch nicht voll genug). Sie war fest entschlossen, als Intellektuelle und Schriftstellerin nie mehr abseits zu stehen, ein Entschluß, an dem sie stets festhielt, wobei Schuldgefühle über die frühere Gleichgültigkeit wohl mit eine Rolle bei Simone de Beauvoirs in den folgenden, den Befreiungsenthusiasmus so gründlich enttäuschenden Jahren nur noch wachsendem Engagement spielten.

Die moralische Phase

Die Werke, die Simone de Beauvoir während der Okkupation und in der unmittelbaren Nachkriegszeit, das heißt zwischen 1941 (der Fertigstellung von *Sie kam und blieb*) und Ende 1946 (dem Beginn von *Das andere Geschlecht*) schrieb, faßt sie selbst unter dem Schlagwort *«moralische Periode» meiner literarischen Laufbahn*[187] zusammen. Aus der Perspektive ihrer Memoiren, die alle nach 1953 und damit nach ihrer Wendung zum Marxismus entstanden, ist das kritisch gemeint. So erklärt sie über den Verlust ihrer ursprünglichen, etwas narzißtischen Sicherheit durch den Krieg: *Die Welt wurde ein Chaos, ich errichtete kein Gebäude mehr darin. Als einziger Ausweg blieb mir ... eine abstrakte Moral. Ich suchte Gründe, Formeln, um das mir auferlegte Geschick zu rechtfertigen. Ich fand welche, an die ich noch heute glaube. Ich entdeckte die Solidarität, meine Verantwortung und die Möglichkeit, den Tod zu bejahen, damit das Leben einen Sinn behält. Aber ich erfuhr diese Wahrheiten in gewisser Weise gegen meinen Willen. Ich schickte Worte ins Treffen, die mich zu ihnen bekehren sollten, ich gab mir Erklärungen, ich redete mir gut zu. Ich erteilte mir eine Lektion, und diese Lektion wollte ich weitergeben, ohne zu bedenken, daß sie für den Leser nicht unbedingt die gleiche Frische hatte wie für mich.*[188] Es scheint hier, als ob die Gründe der Selbstkritik vor allem ästhetischer Natur seien, doch eigentlich stört Simone de Beauvoir an dem Moralismus, den sie sich vorwirft, nicht so sehr das Didaktische als der Versuch, *die Moral außerhalb der gesellschaftlichen Zusammenhänge zu definieren*[189]. Das ist im Grunde, was sie unter *Moralismus* versteht und aus marxistischer Sicht *als letzte Zitadelle des bürgerlichen Idealismus*[190] an den eigenen Werken, aber zum Beispiel auch an denen des alten Genossen aus den Befreiungstagen, Albert Camus, ablehnt. *Warum,* so fragt sie sich in den Memoiren über ihre Arbeiten aus der *«moralischen Periode»* unzufrieden, *hatte ich den Umweg über andere Werte eingeschlagen, statt das Bedürfnis selbst anzuerkennen ... Warum schrieb ich «konkrete Freiheit» statt «Brot» und ordnete den Willen zum Leben dem Sinn des Lebens unter?*[191]

Gerade diese Fragestellung entsprach jedoch damals sowohl ihrer eigenen geistigen Situation als auch der vieler, besonders jüngerer Zeitgenossen. Der französische Existentialismus begann schon 1943, und dann vor allem nach der Befreiung im Jahre 1944, seinen Siegeszug unter anderem deshalb anzutreten, weil er wieder metaphysische Fragen – auf eine neue Art – stellte und die Existenz des Einzelmenschen, nicht die Gesellschaft oder andere umfassende Strukturen, zum Ausgangspunkt seiner Betrachtungen machte. Einer vom Krieg desorientierten, der großen Systeme müden Jugend schien er eine Alternative zu den Gedankengebäuden der Vergangenheit, einschließlich des Marxismus, zu bieten. Simone de Beauvoirs Werke aus den Jahren zwischen 1941 und 1946 sind nur ihre Antwort auf diese Zeit und diese Bedürfnisse und leisten einen nicht unwichtigen Beitrag zum frühen Existentialismus. Abgesehen von einigen Ausnahmen ermangeln sie keineswegs so sehr der Frische, wie die Memoiren glauben machen. Eine gewisse Neigung zur Lehrhaftigkeit läßt sich allerdings nicht bestreiten, nur verlor die Autorin diese Tendenz auch später nie ganz.

«Und Sie Madame, sind Sie Existentialist?», diese Frage, die Jean Grenier an sie richtete, als er ihr 1943 im «Café Flore» von Sartre vorgestellt wurde, konfrontierte Simone de Beauvoir, ihren Berichten nach, zum erstenmal mit einer Anwendung dieser soeben für Sartres Ideen kreierten Bezeichnung auf ihre eigene Person. Zunächst wollte sie nichts von einer solchen Beschriftung wissen: *Ich hatte Kierkegaard gelesen. In Zusammenhang mit Heidegger sprach man schon seit langem von «Existenz»-Philosophie: aber ich kannte den Sinn des Wortes «existentialistisch» nicht, das Gabriel Marcel soeben lanciert hatte. Zudem verletzte Greniers Frage meine Bescheidenheit und meinen Stolz.*[192] *Aber*, so erzählt sie an anderer Stelle, wir (d. h. auch Sartre) *protestierten vergebens. Schließlich benutzten wir selbst das Epitheton, das alle Welt gebrauchte, um uns abzustempeln.*[193] Und sie bestanden in der Folge in vielen der Verteidigung und Definition gewidmeten Schriften darauf, daß es in ihrem Sinne richtig gebraucht wurde, hatten aber nichts dagegen, daß sich die jungen Leute, die nach dem Krieg (Höhepunkt 1947) in «existentialistischer» Tracht (Pullover, Hemd und schwarzer Hose) in den Cafés und Jazzkellern des linken Seineufers umherstreiften, das «Tabou» frequentierten, gern Whisky tranken und Juliette Greco oder Boris Vian anhörten, Existentialisten nannten, obwohl ihr Lebensstil nur oberflächlich oder gar nichts mit der Philosophie zu tun hatte und deren Ansehen nicht gerade half. Im Gegenteil, die Sympathien Sartres und Simone de Beauvoirs gehörten stets der Jugend, sie liebten den Whisky, den Jazz und das Herumflanieren, wenn sie auch nach dem Krieg mit ihrer zunehmenden Berühmtheit besonders das Letztere beschränken mußten und selbst am «existentialistischen Leben» kaum mehr teilnahmen.

Was nun Simone de Beauvoir als Existentialistin betrifft, so betonte sie immer wieder, daß sie keine originelle Denkerin war, *daß ich in puncto Philosophie meine Grenzen kannte*[194] und daß die Initiative *auf philosophischem und politischem Gebiet von ihm* (Sartre) *ausging*[195]. Hier war sie in erster Linie Schülerin, doch nur, weil sie in seinen Ideen – die sie ja nicht erst in fertigem Zustand kennenlernte, sondern, wie Lieblingsschüler oft, durch ihre Fragen, ihre Kritik und ihre ihm offensichtlich sehr wichtige Erfahrensintensität auf eine allerdings schwer abschätzbare, aber über reine Gefolgschaft hinausgehende Weise mitformte – Antworten auf ihre eigenen geistigen Bedürfnisse sah: *Wenn es mir ganz natürlich schien, mich der Lehre Kierkegaards, der Lehre Sartres anzuschließen und «Existentialistin» zu werden*, erklärte sie, *so nur, weil meine ganze Lebensgeschichte mich darauf vorbereitet hatte. Von Kindheit an war ich auf Grund meines Temperaments geneigt gewesen, meinen Wünschen, meinen Willensäußerungen zu vertrauen ... Schon mit neunzehn war ich überzeugt gewesen, daß es dem Menschen zusteht, und nur ihm allein, seinem Leben einen Sinn zu geben, und daß er dieser Aufgabe gewachsen ist.*[196] Bereits dieses Zitat macht jedoch deutlich, daß Simone de Beauvoirs Existentialismus nicht einfach ein Abklatsch des Sartreschen war. In ihren Werken – darunter zwei stets mit größter Bescheidenheit erwähnte philosophische Essays – behandelte sie nur Probleme und Themen, die sie persönlich und unmittelbar berührten, und gab dabei der von vielen als negativ und schwierig empfundenen Philosophie eine, ihrer zuversichtlichen, lebensfreudigen Natur entsprechende, positive, popularisierende Färbung, die sich nicht wie Sartre in «Das Sein und das Nichts» (1943) auf ontologische Fragen konzentrierte – *dem*, so meinte sie, *war nichts hinzuzufügen*[197] –, sondern auf ethische. Sie wollte versuchen, *der existentialistischen Moral einen materiellen Inhalt zu liefern*[198], der ihre persönlichen, auch weiblichen Erfahrungen und Aspirationen reflektieren würde.

In ihrem ersten philosophischen Essay, an den sie sich nur auf die Einladung Jean Greniers und das Zureden Sartres hin heranwagte, ging Simone de Beauvoir denn auch von einer Frage aus, die sie schon als Zwanzigjährige in ihr intimes Tagebuch geschrieben hatte: *Wozu? Pyrrhus et Cinéas* [*Pyrrhus und Cineas*], so lautet der Titel dieses 1944 bei Gallimard erschienenen Aufsatzes, beginnt mit einer Stelle aus Plutarch: Der König Pyrrhus schmiedet Eroberungspläne, sein Ratgeber Cineas hört zu und fragt immer wieder «*Und dann?*», bis der König schließlich sagt: «*Dann werde ich mich ausruhen.*» – «*Warum*», meint nun der Ratgeber prompt, «*ruhst du dich nicht lieber gleich aus?*» Seine Bemerkung scheint zwar weise zu sein, erklärt die Autorin, doch nicht Cineas, sondern der kriegerische König, Beispiel des Tatmenschen überhaupt, hat ihrer Meinung nach recht. Wohl kann man die Frage nach dem Sinn des Lebens und Handelns weder mit dem Hinweis auf die Gebote eines Gottes noch mit dem auf das Wohl einer abstrakten Menschheit beantworten – beide Möglichkeiten der Sinngebung und

Transzendenz lehnt der atheistische Existentialismus, den sie vertritt, ab: *Der Reflexion scheint also jeder menschliche Entwurf absurd zu sein.* Jedem spontanen «Ich will» kann immer wieder ein spöttisches «*Warum gerade bis dahin? Warum nicht weiter? Wozu?*»[199], jedem Unglück anderer die Bemerkung «*Aber was geht das mich an? All das bedeutet mir nichts*»[200] begegnen. Doch gibt es für Simone de Beauvoir trotzdem etwas, das den Menschen daran hindert, in lethargische Gleichgültigkeit oder egoistische Genußsucht zu versinken: Sein Menschsein. *Wenn ich selbst nur eine Sache wäre*, führt sie aus, *dann würde mich in der Tat nichts etwas angehen ... Die tote Existenz der Sachen ist Getrenntheit und Einsamkeit. Die Dinge sind nur Zurückgeworfensein auf sich selbst, einfache Gegebenheit, Immanenz.* Der Mensch hingegen ist ein *Entwurf des Ichs auf anderes hin, eine Transzendenz*[201]. Dieser Glaube an die Einzigartigkeit und Würde des menschlichen Ichs, den sie mit Sartre teilte, entsprach nicht nur den Bedürfnissen ihres frühen anarchistischen Individualismus, sondern nun ganz besonders denen einer Zeit faschistischer Bedrohung, in der sich die Besatzungsmacht und die Vichy-Regierung täglich mehr bemühten, den Menschen zum Objekt zu erniedrigen.

Die Transzendenz des Menschen wird jedoch von niemandem und nichts außerhalb seiner selbst garantiert. Allein durch sein Handeln bewahrheitet der Mensch seine Transzendenz, das heißt sein Wesen. *Die einzige Wirklichkeit, die mir ganz und gar gehört, ist also mein Tun*, lautet eine Hauptmaxime von *Pyrrhus und Cineas*. *Aber*, so heißt es weiter, *sobald ich etwas gemacht habe, trennt sich das Objekt von mir, entzieht es sich mir. Ist der Gedanke, den ich soeben zum Ausdruck gebracht habe, noch mein Gedanke? Damit diese Vergangenheit mein ist, muß ich sie in jedem Augenblick erneut zur meinen machen, indem ich sie meiner Zukunft entgegenführe.*[202] Stillstand gibt es nicht, er würde Selbstaufgabe bedeuten.

Nicht vom Ende her gewinnt das menschliche Leben Sinn. Simone de Beauvoir, die von Heideggers Begriff des Menschen als «Wesen der Ferne» ausgegangen ist, widerspricht ihm hier: *Man ist also nicht zum Tode; man ist – ohne Grund, ohne Ziel ... Das menschliche Sein existiert in der Gestalt von Entwürfen, die nicht Entwürfe auf den Tod hin sind, sondern Entwürfe auf bestimmte Ziele hin. Er jagt, er fischt, er schafft sich Instrumente, er schreibt Bücher: dies sind keine Zerstreuungen, keine Flucht, sondern Bewegung auf das Sein hin: der Mensch macht, um zu sein.*[203] Die existenzielle Angst, die das Nichts, die Sinnlosigkeit, dem Menschen einflößt, wird zum Motor seiner Existenz: *Das Nichts, das mir die Angst enthüllt, ist nicht das Nichts meines Todes*, schreibt Simone de Beauvoir in ständiger Auseinandersetzung mit dem Thema, *sondern die Negativität inmitten meines Lebens, die es mir ermöglicht, unaufhörlich jede Transzendenz zu transzendieren.*[204] *Solan-*

ge der Mensch lebt und plant ist der Tod nicht da ... mein Entwurf geht durch ihn hindurch, ohne auf ein Hindernis zu stoßen.[205]

Wenn das Wesen des Menschen in seiner Fähigkeit, geplant zu handeln, und die Pflicht des Menschen in der Verwirklichung seiner Möglichkeiten liegt, wobei sich weder Risiko noch Mißerfolg vermeiden lassen, so stellt sich immer noch die Frage, ob denn all die Ziele, die man wählen kann, gleichwertig seien. Die Antwort liegt für Simone de Beauvoir in dem Satz: *Die Freiheit, Fundament aller menschlichen Werte, ist das einzige Ziel, das die Handlungen der Menschen rechtfertigen kann.*[206] Auf diesem Satz aufbauend versucht sie positive Grundlagen für die Moral zu finden, indem sie erklärt: *Eine Aktivität ist gut, wenn sie darauf abzielt, für sich und andere ... die Freiheit zu befreien*[207], das heißt dem Menschen, der zwar, wie Sartre sagt, von Natur aus frei ist und seine Umstände, wie immer sie auch beschaffen sein mögen, überwinden kann, breitere Möglichkeiten der Wahl und Transzendenz zu eröffnen, ihn also im traditionellen Sinn des Wortes geistig, ökonomisch und politisch zu befreien. Bei diesem zweiten Aspekt der Freiheit, der sich von Sartres Definition entfernte, folgte sie einer praktischen Tendenz, die sie *in langen Diskussionen gegen ihn ... verfochten hatte. Ich stellte wieder eine hierarchische Ordnung her unter den Situationen. Subjektiv war das Heil in jedem Fall möglich. Dennoch war das Wissen der Ignoranz vorzuziehen, das Gesundsein dem Kranksein, der Wohlstand dem Elend.*[208] Es genügt dabei nicht, nur die eigene Lage zu verbessern. *Damit mein Anruf nicht im Leeren verklingt,* heißt es in *Pyrrhus und Cineas, müssen in meiner Nähe Menschen sein, die bereit sind, mich zu hören; die Menschen müssen mit mir auf einer Stufe stehen. Ich kann nicht zurückgehen ... Ich kann aber auch nicht allein der Zukunft entgegengehen ... Also muß ich bemüht sein, für die Menschen Situationen zu schaffen, die es ihnen ermöglichen, meine Transzendenz zu begleiten und zu überschreiten und mich dadurch zu erhalten. Ich verlange für die Menschen Gesundheit, Bildung, Wohlbefinden, Muße, auf daß ihre Freiheit nicht im Kampf gegen Krankheit, Unwissenheit, Not aufgezehrt werde.*[209] Dieser Begriff der Freiheit als Aufgabe und Kommunikation war ein weiter Schritt von dem Begeisterungstaumel der jungen «agrégée», endlich vom Elternhaus unabhängig zu sein, endlich tun und lassen zu können, was sie wollte. Simone de Beauvoir sollte den hier aufgestellten Prinzipien selbst konsequent folgen und die Unfreiheit und Not der anderen zu einem Hauptanliegen ihres Schaffens machen. Es war schließlich auch dieses Anliegen, das sie von ihrem «moralischen» Existentialismus zum «marxistischen» führte.

Schon vor *Pyrrhus und Cineas* entstanden, mußte der Roman *Le Sang des autres* [*Das Blut der anderen*] bis 1945 auf seine Veröffentlichung warten, da er direkt von Okkupation und Widerstand sprach. Trotz dieser Aktualität ging es der Autorin aber weniger um das Zeitgeschehen – sie selbst lehnt es ab, ihr Werk einen *«Roman über die Résistance»* zu nennen – als um existentielle Probleme: *Mein Verhältnis zu den anderen,* schreibt sie, *blieb die Kardinalfrage. Aber ich begriff besser als früher ihre Komplexität.*[210] Wie das aus den «Brüdern Karamasov» von Dostojevskij stammende Motto: *Jeder Mensch ist für alle und alles verantwortlich* andeutet, sieht Simone de Beauvoir den anderen diesmal von der entgegengesetzten Seite, nicht als gefürchteten Rivalen, sondern als bedrohtes Opfer. Jean Blomart, der männliche Hauptcharakter, leidet seit der Kindheit, als er sich zum erstenmal des Unterschieds zwischen seinem Wohlstand und der Armut der meisten seiner Mitmenschen bewußt wurde, unter dem Erbfluch, der *für jeden einzelnen in seinem Zusammenleben mit den anderen besteht*[211], *der Schuld da zu sein*[212]: Ohne daß er es hindern kann, greift seine Existenz, greifen seine Handlungen in die Leben anderer ein und stören oder zerstören sie. Verzweifelt bemüht er sich, von dieser Schuld loszukommen: Er verläßt sein reiches Elternhaus, um einfacher Arbeiter, dann Kommunist, dann Gewerkschafter und Pazifist zu werden; er weist Hélène, die ihn liebt, zurück, um niemanden an sich zu ketten und vielleicht unglücklich zu machen. Aber die politische Neutralität führt erst recht zum Krieg und die menschliche läßt Hélène zum Erstbesten laufen, schwanger werden, eine gefährliche Abtreibung riskieren.

Unter dem Druck der Umstände entschließt sich Jean zwar schließlich zum politischen und menschlichen «Engagement», er bindet sich an Hélène und kämpft, zuerst an der Front, dann in einer von ihm gegründeten Widerstandsgruppe. Doch als die Geliebte bei einer von ihm geplanten Résistanceaktion tödlich verletzt wird und vor seinen Augen stirbt, überfallen ihn die alten Schuldgefühle mit erneuter, paralysierender Wucht: *Sie leidet. Durch meine Schuld. Erst Jacques* (ein Freund, für dessen Tod er sich ebenfalls verantwortlich fühlt), *nun Hélène. Weil ich sie nicht geliebt habe, und weil ich sie geliebt habe: ... Weil es mich gibt, und dieser brutalen Tatsache hat sie sich unterwerfen müssen ... Man hätte niemals sein dürfen.*[213] Die Antwort der Sterbenden auf seine Grübeleien ist klar und deutlich: *«Mach dir bitte keine Gewissensbisse», meinte sie ... «Ich habe getan, was ich wollte. Du warst nicht mehr als ein Stein. Und Steine braucht man, damit Straßen entstehen können – wie könnte man sich sonst für einen Weg entscheiden?»*[214] Ihre Worte schenken Jean keinen Frieden, wohl aber die Kraft, weiterzumachen, und Gewalt und Opfer im Kampf um die Freiheit, *dieses höchste Gut ... das alle Steine und Felsen unschuldig macht*[215], auf sich zu nehmen. Schon für den folgenden Tag ist eine Widerstandsaktion geplant, die Geiseln, die sich in den Händen der Feinde befinden, das Leben kosten wird. Jean hat gezögert, nun gibt er das Startsignal. *Ein wirklich moralischer Mensch,* schreibt Simone de Beauvoir als Fußnote zu ihrem Helden, *kann kein gutes Gewissen haben.*[216] Sie war dem

Jodie Foster in «Le Sang des Autres», französisch-kanadische Koproduktion 1984. Regie Claude Chabrol

Ausspruch bei Kierkegaard begegnet und tief davon beeindruckt worden.

Der Roman alterniert diese aus der Perspektive Jean Blomarts gesehenen Erfahrungen und Probleme Kapitel für Kapitel mit der Geschichte Hélènes, die von ihrem Standpunkt aus erzählt wird. Hélène, eine weitere Version der vielleicht interessantesten Charakterschöpfung unserer Autorin, des «egoistischen» jungen Mädchens, erfährt den verdorbenen Geruch des Daseins in dem Gefühl der Sinnlosigkeit, das ihr der eigene Körper einflößt: . . . *diese säuerliche Langeweile war in ihr, war aus dem Fleisch, aus dem sie gemacht war, in diesem schlaffen, von kleinen Schauern geschüttelten Fleisch.*[217] Ihre Unverantwortlichkeit und Selbstsucht sind nichts als verzweifelte Versuche, dem Überdruß zu entfliehen. *«Na, wenn man sich nicht einmal für das interessiert, was man sich wünscht»*, erklärt sie ihren Freunden, nachdem sie das Fahrrad, das sie schon lange wollte, einfach gestohlen hat, *«so frage ich mich, was denn noch bleibt.»*[218] Als sie Jean Blomart begegnet, glaubt sie, daß die Liebe des stark und selbstsicher erscheinenden Mannes Sinn in ihr eigenes Dasein bringen würde. Mit allen Mitteln kämpft sie darum, ihn zu «besitzen», seine Zurückweisung stürzt sie in solch hoffnungslose Gleichgültigkeit, daß sie mit den Faschisten kollaborieren und nach Deutschland gehen will, einfach weil da jetzt die Herren sind. Angesichts der Deportation von Juden – ihre Freundin ist Jüdin – erwacht sie jedoch zu Zorn und Mitleid. Sie entschließt sich, für Jean Blomarts Widerstandsgruppe zu arbeiten. Erst jetzt verbindet die beiden eine im Sinne Simone de Beauvoirs «wahre» Liebe, in der jeder die Freiheit des anderen respektiert und ihm kameradschaftlich zur Seite steht. Diese Liebe gibt Hélène am Ende die Kraft, ihren Freund zu trösten und ruhig zu sterben.

Neben den Hauptcharakteren stehen eine Reihe von bemerkenswerten Nebenfiguren, die alle auf ihre Weise an der existentiellen Grunderfahrung, dem Unbehagen am menschlichen Dasein, leiden. Auch für sie bringt der Krieg Besinnung, Stellungnahme, Solidarität mit anderen. Am wichtigsten ist der von Alberto Giacometti und seiner Beschreibung Duchamps inspirierte Maler und Bildhauer Marcel. Sein Streben nach völlig «autarker» Kunst hat ihn zu der Einsicht gebracht, daß alle künstlerische Tätigkeit sinnlos ist. Er hört gänzlich auf zu arbeiten. Erst das Kriegsgefangenenlager und die Wirkung, die seine dort gemalten Fresken auf die Mithäftlinge haben, lehren ihn, Kunst als Kommunikation zwischen freien Individuen zu verstehen: *«Ich wollte, daß meine Bilder aus sich heraus lebten, ohne auf jemanden angewiesen zu sein. In Wirklichkeit bringen die anderen sie erst zum Leben.»* Auch er entschließt sich zur Arbeit für den Widerstand: *«Ich will mir mein Publikum aussuchen»*[219], begründet er seine politische Tätigkeit.

Niemand kann losgelöst von der Gemeinschaft leben. Der Mensch, der im Alleingang das Absolute anstrebt, sei es auf dem Gebiet der Ethik, der Liebe, der Kunst, endet bei der Kapitulation vor der Absurdität seiner Existenz und versinkt in Indifferenz. Sobald er sich jedoch zur Solidarität mit seinen Mitmenschen bekennt und sich durch seine Handlungen in der Welt und ihrer Bedingtheit engagiert, leidet er wie Jean Blomart unter den unerwünschten und unabsehbaren Folgen, die seine Taten für die anderen haben. Der Kampf um die Freiheit, so sinnvoll und richtig er ist, kostet nicht nur das eigene Blut, sondern auch das der anderen, deren Freiheit er also nicht nur verteidigt, sondern auch angreift. Für dieses Dilemma gibt es keine einfache Lösung, nur die mit *Furcht und Zittern*[220] getroffene Wahl eines Weges und die volle Verantwortung für die eigene, freie Entscheidung.

Das Blut der anderen ist sorgfältig und komplex komponiert. Es gibt nur zwei Blickpunkte, den männlichen Jeans und den weiblichen Hélènes. Die Erlebnisse des Mädchens werden in der dritten Person, in chronologischer Ordnung erzählt, bei Jean dagegen überlagern sich die Zeitebenen und Redeformen: Er sitzt am Bett der sterbenden Hélène. Aus dieser Gegenwart schweifen seine Gedanken zurück zu seinem früheren Leben und nach vorn zu dem Plan, der die Geiseln betrifft. Die Episoden aus der Vergangenheit sind je nach dem Abstand, den er von ihnen hat, in der ersten oder dritten Person geschildert; dazwischen stehen kursiv gedruckte Überlegungen, die sich auf seine unmittelbare Situation im Sterbezimmer beziehen. *Diese Konstruktion*, erklärt die Autorin selbst, *war dem Thema angemessen . . . Die Ereignisse zählen für Blomart viel weniger als der quälende Sinn, den sie mit tragischer Beharrlichkeit offenbarten.*[221]

Während *Sie kam und blieb* vor allem den Einfluß Hemingways verraten hatte, wirkte hier die Lektüre Dos Passos' und Faulkners nach. Die großen Amerikaner waren für Simone de Beauvoir Vorbilder in der Romantechnik, bestimmten aber auch die Grenzen ihrer Erneuerungsbestrebungen. Ja, die folgenden Romane sollten in Struktur und Stil eher wieder etwas einfacher und konventioneller werden, da es der Autorin immer bewußter darum gehen würde, *in plausibler Weise das Leid und die Kämpfe der Menschen darzustellen*[222]. Der experimentelle «Neue Roman», der nach dem Krieg in Frankreich entstand, erschien ihr als verantwortungslose Spielerei. *Es gilt*, so meint sie im Gegenangriff auf Nathalie Sarraute, die den Traditionalismus eines Beauvoirschen Romans kritisiert hatte, *nach Mitteln zu suchen, die dem Romancier helfen, die Welt gründlicher zu entschleiern, nicht aber, ihn von ihr abzulenken, um ihn in die Grenzen eines manischen und unwahren Subjektivismus zu verweisen.*[223] Eigentlich hörte sie selbst aber auf zu suchen. Die Mittel, die sie in ihren ersten beiden Romanen probiert hatte, behielt sie auch in der Folge bei. Am liebsten mischte sie gegenständliches, auf Handlungen und – hauptsächlich – Gespräche konzentriertes Erzählen mit innerem Monolog und beschränkte die Erzählperspektive auf einen oder, häufiger, zwei Charaktere, wobei die in *Das Blut der anderen* beobachtete Aufteilung auf einen Mann und eine Frau besonders typisch ist, warum, wird noch zu besprechen sein. Technische Originalität strebte sie nach diesem zweiten Roman, in dem sie glaubte, *für Frankreich etwas Neues geschaffen zu haben*[224], nicht mehr an.

Sonst war Simone de Beauvoir allerdings nicht sehr zufrieden mit ihrem Buch. Sie fand es zu abstrakt, zu tendentiös, den Charakteren fehlte es ihrer Meinung nach an *Dichte*: *Alles läuft zusammen, anstatt zu wuchern. Sogar die Stimmen meiner Helden stören mich, vor allem die Blomarts: angespannt, verkrampft, gepreßt.*[225] Wenn sie auch mit ihrem Urteil bis zu einem gewissen Grad recht hat, so besteht sie doch zu sehr auf den negativen Aspekten ihres Romans. Trotz seiner Schwächen verleiht er dem Problem des «Engagements» und der geistigen Atmosphäre, in der sich Existentialismus und Widerstand verbanden, klaren künstlerischen Ausdruck und ist unbeschadet des Mangels an konkreten zeitgeschichtlichen Details immer noch – wie ein Interpret gesagt hat – «einer der wenigen guten Romane über die Résistance»[226].

Über Simone de Beauvoirs einziges Theaterstück läßt sich leider nicht das gleiche sagen. *Les Bouches inutiles* [*Die unnützen Mäuler*] ist heute so ziemlich vergessen – in deutscher Sprache wurde es nie veröffentlicht[227] – und zu Recht. Thematisch an *Das Blut der anderen* anschließend, fragt es, diesmal vom Standpunkt einer Gemeinschaft aus, wann Gewalt und Opfer, auch wenn sie für die Freiheit eingesetzt werden, nicht mehr verantwortbar sind. Die Handlung, deren Stoff aus einer italienischen Chronik stammt, aber nach Flandern, ins 14. Jahrhundert, verlegt wurde, dreht sich um eine ganze Stadt. Vancelles, ein erfundener Name, wird vom ehemaligen Herzog, den die Bürger im Kampf um ihre Freiheit vertrieben haben, belagert. Ein Entsatzheer ist auf dem Wege, doch gibt es nicht genug Vorräte, um bis zu seiner Ankunft durchhalten zu können. In dieser Not beschließt der Stadtrat, Frauen, Kinder und Alte, alle, die keine Krieger und daher «unnütze» Esser sind, vor die Mauer der Stadt und damit in den sicheren Tod zu treiben. Dieses Todesurteil vergiftet die menschlichen und politischen Beziehungen der ganzen Bevölkerung. Verschwörer versuchen die Verhältnisse auszunützen, die Macht an sich zu reißen und alle Freiheiten, für die die Bürger kämpften, zu zerstören. So sehr sich der Stadtrat über diese Usurpatoren entrüstet, er hat ihnen den Weg gebahnt. *Sie sind nur eurem Beispiel gefolgt*, erklärt Jean Pierre, einer der Charaktere und hier Sprachrohr der Autorin. *Ihr habt beschlossen, die Alten, die Schwachen sind unnütze Mäuler. Warum kann ein Tyrann nicht erklären, daß eure Freiheiten unnütz und eure Leben lästig sind? Wenn ein einziger Mensch als Abfall betrachtet wird, sind hunderttausend Menschen nichts als ein Abfallhaufen.*[228]

Jean Pierre, der in seinem Streben nach Reinheit zuerst versucht hat, sich aus den Entscheidungen der Gemeinschaft herauszuhalten, macht nun einen Gegenvorschlag. Alle zusammen sollen einen Ausbruchsversuch unternehmen und gemeinsam ihre Freiheit verteidigen, ihre Leben riskieren. Männer, Frauen, Kinder, Greise stimmen diesem Plan zu – damit endet das Stück. Wie für Jean Blomart hängen auch für Jean Pierre Mut zur Liebe und Mut zur Gemeinschaft eng zusammen. Die folgende Szene mit dem Mädchen Clarice macht deutlich – zu deutlich –, worin das Wesen existentialistischer Liebe für Simone de Beauvoir besteht:

CLARICE: *Noch gestern liebtest du mich nicht.*
JEAN PIERRE: *Ich wagte dich nicht zu lieben, weil ich nicht wagte, zu leben. Diese Erde schien mir unrein, und ich wollte mich nicht beschmutzen. Welch dummer Stolz.*
CLARICE: *Erscheint sie dir heute reiner?*
JEAN PIERRE: *Wir gehören der Erde an. Im Moment sehe ich klar. Ich gab vor, mich von der Welt zurückzuziehen, wenn es die Erde war, auf der ich vor meinen Aufgaben als Mensch floh; auf der Erde war ich ein Feigling und verurteilte dich durch mein Schweigen zum Tode. Ich liebe dich auf der Erde. Liebe mich.*
CLARICE: *Und wie liebt man sich auf der Erde?*
JEAN PIERRE: *Man kämpft gemeinsam.*[229]

Als *Les Bouches inutiles* 1945 uraufgeführt wurde, brachte das Stück nicht den erhofften Erfolg. Schon bei der Kostümprobe sahen Freunde einander bei allzu naiv durch den Existentialismus inspirierten Repliken an, und Genet, der neben der frischgebackenen Bühnenautorin saß, sparte, wie sie später erzählt, nicht mit strenger Kritik, «Das ist kein Theater, auf keinen Fall», flüsterte er ihr zu.[230] Simone de Beauvoir sah das ein und begrub ihre Träume, sich wie Sartre durch das Theater ein neues, wie sie glaubte, unmittelbareres Medium zu erobern. Sie hatte keine Begabung dazu.

Eigentlich war das Stück ohnehin nur ein Nebenprodukt des Romanschaffens. Seit 1943 arbeitete sie an einem großen Projekt, das *in weit ausholendem Bogen den Tod einkreisen*[231] sollte. Simone de Beauvoir hatte dieses Thema zwar schon oft behandelt, aber bisher stets nur von bestimmten Gesichtspunkten aus und in spezifischen Zusammenhängen. Nun fühlte sie den Drang und die Bereitschaft zu einem Werk, von dem sie offenbar hoffte, daß es so etwas wie ihr opus magnum werden würde. *Ich habe den Anfang dieses Buches geschrieben*, notierte sie in jener bereits erwähnten Nacht des Juni 1944, *das allein mir den Rückhalt bietet gegen den Tod, dieses Buch, das ich so sehr zu schreiben wünschte. Die Arbeit all dieser Jahre sollte mir vielleicht nur die Kühnheit und den Vorwand liefern, es zu schreiben.*[232]

Tous les Hommes sont mortels [*Alle Menschen sind sterblich*], das 1946 veröffentlicht wurde, ist eine Art historischer Roman. Der Krieg hatte Simone de Beauvoir plötzlich die Zeit zum Bewußtsein gebracht; sie dachte über den Sinn der Geschichte nach und verbrachte, wie sie erzählt, viele Stunden über der Lektüre Hegels. Doch *eigentlich,* bemerkt sie in ihren Memoiren, *bekannte ich mich zu keiner Geschichtsphilosophie, und mein Roman identifiziert sich auch mit keiner*[233]. Sinn und Wert eines Lebens kommen nie von der Rolle, die dieses objektiv in der Geschichte spielt; nur subjektiv, im Bewußtsein der Endlichkeit seines Daseins kann jeder einzelne Mensch seiner Existenz Bedeutung schenken. Um das zu illustrieren, nimmt Simone de Beauvoir Zuflucht zu einer phantastischen Erfindung: Fosca, der Held ihres Buches ist – unsterblich. Wir begegnen ihm zuerst im 20. Jahrhundert mit den Augen Régines, einer jungen Schauspielerin, die den Typ des egozentrischen jungen Mädchens variiert, indem sie den in allen angelegten Narzißmus, der ja auch der Autorin selbst nicht fremd war, ins Unermeßliche steigert. Sie will absolut einzigartig sein – *Der Ruhm anderer ist für sie der Tod.*[234] Kein Erfolg, keine gewöhnliche Liebe können ihr genügen, sie will die Liebe des Unsterblichen, weil sie in seinem Gedächtnis für alle Ewigkeit ohnegleichen zu sein hofft.

Welch schrecklichen Irrtum sie begeht, versteht sie erst, als ihr Fosca die Geschichte seiner verschiedenen Leben erzählt. Er, Tatmensch der italienischen Renaissance, hat in seinem heimatlichen Carmona, einem italienischen Stadtstaat, ursprünglich die Unsterblichkeit gesucht, weil ihm sein ständig von Attentätern bedrohtes Leben zu kurz für seine großen Pläne erschienen ist. Doch der nun folgende Weg durch Raum und Zeit – im 16. Jahrhundert an den Hof Karls V. und zu den spanischen Eroberern nach Mexiko, im 17. Jahrhundert auf Entdekkungsreisen nach Nordamerika, im 18. Jahrhundert zu den französischen «débauchés» und «philosophes», im 19. Jahrhundert zu den Revolutionären von 1832 und 1848 –, auf dem er versucht, sich an den Schicksalen der Sterblichen, denen er begegnet, zu beteiligen, zu herrschen, zu lieben, zu helfen, verwandelt seinen ursprünglich so großen Tatendrang in vollkommene Gleichgültigkeit. Weil es für ihn keinen Tod gibt, weil er immer wieder neu anfangen kann, weil ihm nichts endgültig ist, ist ihm auch nichts unersetzlich. Alle seine Beziehungen zu den Menschen werden durch die Unsterblichkeit vergiftet. *Er kann niemals wahre Liebe und Freundschaft empfinden,* schreibt Simone de Beauvoir über ihren Helden, *weil unsere Brüderlichkeit darin besteht, daß wir alle sterben ... Für Fosca kann es keine Schönheit geben, ebensowenig wie irgendeinen anderen der lebendigen Werte, welche die Endlichkeit des Menschen begründen. Sein Blick verwüstet das Weltall: Es ist der Blick Gottes, wie ich ihn mit fünfzehn Jahren abgelehnt hatte, der Blick dessen, der über alles hinausgeht und alles gleichmacht ... und den Menschen in einen Erdenwurm verwandelt.*[235] Das ist auch die Wirkung Foscas auf Régine, die an ihrer Begegnung mit ihm zerbricht. Nur diejenigen, die wie die jungen Revolutionäre ganz in ihrer Zeitlichkeit aufgehen, in dem Bewußtsein, daß jede ihrer Handlungen und Bindungen die letzte sein kann und daher absolut wichtig ist, vermögen seinen vernichtenden Blick zu erwidern. Sie lassen ihn das Grauen seiner endlos leeren, total isolierten Existenz selbst klar erfassen.

Simone de Beauvoir hatte an diesem Roman *mit so viel Freude* gearbeitet, daß sie ihn nach der Vollendung *bei weitem für den besten* hielt.[236] Auch später verteidigte sie ihn. Die Kritiker teilten und teilen ihre Zufriedenheit jedoch nicht. *Alle Menschen sind sterblich* wurde bei seinem Erscheinen im Jahre 1946 ziemlich negativ aufgenommen und hat auch in der Zwischenzeit kaum Bewunderer gefunden. Der Roman ist zwar nicht uninteressant, krankt aber an einer gewissen Monotonie, die mit den vielen Wiederholungen, mit dem Helden, der weder als Mythos noch als Mensch geglückt ist, und vor allem mit dem historischen Stoff zu tun hat. Simone de Beauvoir lebte so intensiv in der eigenen Gegenwart, daß es ihr schwerfiel, sich und den Leser erfolgreich in eine fiktive Vergangenheit zu versetzen. Der Mißerfolg des Romans war vielleicht mitbestimmend dafür, daß sie nun längere Zeit nichts Belletristisches schrieb. Die unmittelbaren Nachkriegsjahre gehörten dem Essay und der Reportage, was aber auf jeden Fall auch andere, maßgeblichere Gründe hatte.

1945 gründete Sartre seine Zeitschrift «Les Temps Modernes». *Der Redaktion gehörten Raymond Aron, Leiris, Merleau-Ponty, Albert Ollivier, Paulhan, Sartre und ich an. Damals vertrugen sich diese Namen noch miteinander*[237], erzählt Simone de Beauvoir, einzige Frau unter all diesen Männern, und spielt auf die vielen, auch sie erfassenden Fehden an, die «Les Temps Modernes» im Laufe der folgenden Jahre nach innen und außen führte, als sie, Sartres Entwicklung folgend, politischer und radikaler wurde. Der Titel, der den Herausgebern gefiel, weil er an Chaplins Film «Moderne Zeiten» erinnerte, sollte jedoch von Anfang an klarmachen, daß *wir uns für aktuelle Fragen interessierten*[238]. Mit den ersten Nummern, mit den zur selben Zeit erscheinenden Büchern und mit Vorträgen lösten Sartre und Simone de Beauvoir nun im Herbst 1945, allerdings *ohne besondere Absicht*, eine *existentialistische Offensive* aus, die ihre bis dahin nur einem kleineren Kreis bekannten Namen weithin berühmt machten. *Plötzlich, wie in manchen Filmen das Bild seinem Rahmen entwächst, sprengte mein Leben seine früheren Grenzen. Ich wurde ins Rampenlicht geschoben. Mein Gepäck war leicht, aber man verband meinen Namen mit dem Sartres, dessen sich der Ruhm brutal bemächtigte ... Überall fanden unsere Bücher, fanden wir selber ein Echo. Auf der Straße verfolgten uns die Fotoreporter, sprachen uns die Leute an. Im «Flore» beobachtete man uns und tuschelte.*[239]

Jean Paulhan

Im Gegensatz zu Sartre, den der Tumult um seine Person störte, fand Simone de Beauvoir *den Lärm, der uns umgab, meine Rolle einer «echt pariserischen Erscheinung»*, eine Weile zumindest, recht *amüsant. Ich hatte nie an den Heiligenschein der Literatur geglaubt*, erklärt sie. *Ich wollte zu meinen Lebzeiten von vielen gelesen, geschätzt, geliebt werden.* Und etwas später sagt sie im selben Zusammenhang: *Weit davon entfernt, wie er* (Sartre) *vom Erfolg gesättigt zu sein, sah ich meinen Hoffnungen keine Grenze gesetzt. Ich war überwältigt, nicht blasiert. Die Verhältnisse sicherten jeder Bemühung, dem kleinsten Erfolg, eine aufmunternde Resonanz. Aufgaben wurden zugleich mit den Mitteln, sie durchzuführen, an mich herangetragen. Mir genügten die Gegenwart und der unmittelbare Horizont.*[240] Sie hatte nie Prätentionen zur «großen» Schriftstellerin und wollte gerade damals ihrer Zeit dienen.

Die nächstliegende Aufgabe nun sah Simone de Beauvoir 1945/46

Raymond Aron

Maurice Merleau-Ponty

in der Verteidigung des Existentialismus, dem der Ruhm scharfe Angriffe, nicht nur wie erwartet aus konservativen, katholischen Kreisen, sondern auch von den Kommunisten, einbrachte. *Damals,* schreibt sie in den Erinnerungen, *behandelte man den Existentialismus als eine nihilistische, schwarzmalende, frivole, lächerliche, desperate, schändliche Philosophie. Es galt ihn zu verteidigen.*[241] Daß sie sich dazu besonders berufen fühlte, ist nach dem bisher Gesagten nicht erstaunlich. Und die «Temps Modernes» boten das geeignete Mittel, *um ohne Umwege unserer Verwunderung, unserer Ungeduld, unserem Beifall Ausdruck zu verleihen. Ein Buch zu schreiben dauert lange, und damals verging auch viel Zeit, bevor es erschien. In einer Zeitschrift kann man die Aktualität im Fluge fangen. Man kann sich fast ebenso schnell wie in einem Privatbrief an seine Freunde wenden, seine Gegner widerlegen. Wenn ich einen irritierenden Artikel las, sagte ich mir sofort: Ich werde antworten! Auf diese Weise kamen die Essays zustande, die ich in den «Temps Modernes» veröffentlicht habe.*[242]

Die wichtigsten Beiträge bestanden aus den Abschnitten eines längeren moralphilosophischen Aufsatzes, der wohl gleich auch als Buch gedacht war und dann 1947 unter dem Titel *Pour une morale de l'ambiguité* (*Für eine Moral der Doppelsinnigkeit*) bei Gallimard erschien. Darin versucht Simone de Beauvoir ihre schon in *Pyrrhus und Cineas* implizierte Moral des Handelns klar auseinanderzusetzen und sie deutlich in Sartres «Das Sein und das Nichts» zu fundieren, und zwar indem sie – in ihren Worten – *das eitle Verlangen, da zu sein, in eine Prämisse des Daseins verwandelt*[243]. *Der Existentialismus war von Anfang an eine Philosophie der Ambivalenz, der Doppelsinnigkeit*, beginnt sie und beruft sich auf Sartres Definition des Menschen als *dieses Wesens, dessen Sein darin besteht, nicht zu sein, dieser Subjektivität, die nur als Anwesenheit in der Welt wirklich wird*[244]. Denn bei Sartre sind die Antinomien des Seins und Nichts untrennbar verbunden. Der Mensch hört nie auf, nach einem selbstverständlichen absoluten Dasein zu streben, kann es aber unmöglich erreichen, weil sein Bewußtsein von sich und der Welt ja erst durch Abtrennung möglich ist. Wenn er Fülle und Einheit mit sich selber wäre, würde er gar nicht wissen, daß er und die Welt überhaupt existieren. Bei diesem, vom Existentialismus als grundsätzlich behaupteten Ungenügen des Menschen setzt Simone de Beauvoir ein, indem sie erklärt: *Wohl ist das in «Das Sein und das Nichts» beschriebene Scheitern endgültig, aber es ist auch ambivalent. Der Mensch, sagt Sartre, ist ein Sein, das sich aus dem Nichtsein heraus macht, auf daß das Sein sei... Der Ausdruck «auf daß» bezeichnet eindeutig eine Absicht. Nicht vergeblich nichtet der Mensch das Sein: durch ihn enthüllt sich das Sein, und diese Enthüllung will er. Es gibt eine unmittelbare Weise, dem Sein verhaftet zu sein, die nicht «sein wollen», sondern «das Sein enthüllen wollen» bedeutet. Hier gibt es nun kein Scheitern, sondern nur Gelingen: dieses Ziel, das sich der Mensch setzt, indem er sich aus dem Nichtsein heraus sein macht, wird durch ihn Wirklichkeit. Indem sich der Mensch von der Welt losreißt, macht er sich der Welt gegenwärtig und macht sich die Welt gegenwärtig. Ich möchte diese Landschaft sein, die ich betrachte, ich möchte, daß dieser Himmel, dieses stille Gewässer sich in mir denken, daß ich ihr Fleisch und Blut gewordener Ausdruck bin, und doch bleibe ich in Abstand von ihnen... Ich kann mir dieses schneebedeckte Feld, über das ich gleite, nicht aneignen: es bleibt fremd, ist mir versagt; und doch macht mir dieses Bemühen um etwas, das ich unmöglich besitzen kann, Freude, ich empfinde es als Sieg, nicht als Niederlage. Das bedeutet, daß der Mensch in seinem vergeblichen Bemühen, Gott zu sein, sich als Mensch existieren macht... Und die Tätigkeit, die, insofern sie sich das Sein zum Ziel gesetzt hat, zum Scheitern verurteilt ist, erlangt als Manifestation des Daseins wieder Gültigkeit.*[245] Simone de Beauvoir bezieht sich hier nicht nur auf das berühmte Schneefeld, das Sartre in «Das Sein und das Nichts» zur Veranschaulichung seiner Ideen verwendete, sondern schließt sich auch sonst eng an die nicht gerade leicht verständliche Terminologie dieses ihr fast allzugut vertrauten Werkes an, weil es ihr nicht wirklich um eine Erklärung, sondern vor allem um eine Weiterdeutung Sartres in ihrem eigenen Sinn geht. Die für unsere Autorin so wichtigen Wörter wie *Freude, Ziel, Tätigkeit, Bemühen* verbinden sich der für sie persönlich zentralen Aufgabe des Menschen, *das Sein zu enthüllen*, um eine Vorstellung der menschlichen Existenz zu entwickeln, an der nicht das Scheitern, sondern der im Scheitern enthaltene Sieg das Wesentliche ist. Sieg ist aber nur möglich, wenn der Mensch sich *mit dieser Existenz begnügt*[246], wenn er es *ablehnt, ein fremdes Absolutes anzuerkennen*[247].

Wie kann man aber unter diesen Umständen eine Moral entwickeln? Simone de Beauvoir zitiert Dostojevskijs Ivan Karamasov: «*Wenn Gott nicht ist, dann ist alles erlaubt*» – nur um ihn sofort zu widerlegen: *Weil der Mensch auf der Erde verlassen ist, sind seine Handlungen endgültige, absolute Verpflichtungen; er trägt die Verantwortung für eine Welt, die nicht die Schöpfung einer fremden Macht, sondern sein eigenes Werk ist ... Ein Gott kann verzeihen, auslöschen, ausgleichen; wenn aber Gott nicht existiert, dann sind die Fehler der Menschen unsühnbar.*[248] Und der größte, absolut unsühnbare Fehler wäre es, wie wir schon bei der Besprechung von *Pyrrhus und Cineas* gesehen haben, alles für sinnlos zu halten. *Es ist Sache des Menschen, zu bewirken, daß das Menschsein Bedeutung hat, und er allein kann seinen Erfolg oder seinen Mißerfolg erfahren.*[249] Wenn man diesem «Beauvoirschen Imperativ» folgt. stößt man *auf strenge Forderungen innerhalb seiner selbst*[250]. Versucht man, diesen Forderungen zu entgehen – der Mensch ist jederzeit frei dazu: *Nichts ist im voraus entschieden ... die Unredlichkeit ermöglicht es, an jedem beliebigen Punkt innezuhalten*[251] – dann begeht man eine «Sünde». *Nur der Existentialismus*, erklärt Simone de Beauvoir, *zieht wie die Religionen das Böse wirklich in Betracht.*[252]

Da nun «das Gute», wie wir bereits gezeigt haben, grundsätzlich in der Freiheit des Menschen liegt, haben alle «Sünden» mit der Aufgabe der Freiheit zu tun. Infantilismus, Ernsthaftigkeit, Nihilismus, Abenteurertum, Leidenschaft sind alles Haltungen, durch die ein Mensch an seiner Freiheit vorbeigehen, seine Verantwortung für sein Leben abschieben kann. Sie werden im zweiten Teil des Essays unter häufigen Hinweisen auf die zeitgenössische Situation genauer beschrieben und erinnern an die berühmten «Caractères» von La Bruyère, wie überhaupt die moralphilosophischen Aufsätze Simone de Beauvoirs in Intention und Stil deutlich an die große Tradition der französischen Moralisten des 17. und 18. Jahrhunderts anknüpfen. Scharfe, provokante Formulierungen, Maximen und Aphorismen, nicht lange philosophische Analysen sind Methode der Darstellung und des Arguments. Dazu kommt bei Simone de Beauvoir noch eine stark polemische Seite. In *Für eine Moral der Doppelsinnigkeit* protestiert sie unter anderem auch gegen die vor allem von kommunistischer Seite erhobene Anschuldigung, der Existentialismus sei ein Solipsismus: *Im Gegensatz zu den totalitären Doktrinen, die über den Menschen das Trugbild der Menschheit stellen*, erklärt sie, *steht unserer Auffassung nach an erster Stelle der Mensch... Der Mensch interessiert uns nicht nur als Angehöriger einer Klasse, eines Volkes, einer Gemeinschaft, sondern auch als Einzelner... Es stimmt allerdings, daß die Befreiung der Menschen in keiner Weise dadurch gefördert wird, daß ein Streuner sich an einem Liter Wein ergötzt, ein Kind sich beim Spiel mit Luftballonen erfreut oder ein neapolitanischer Lazzarone das Faulenzen in der Sonne genießt... Indessen darf man nicht vergessen, daß zwischen Freiheit und Dasein eine konkrete Verbindung besteht; wollen, daß der Mensch frei ist, bedeutet wollen, daß es Sein gibt, bedeutet, die Enthüllung des Seins in der Daseinsfreude wollen... Wenn die Zufriedenheit eines Greises, der ein Glas Wein trinkt, nicht zählt, dann sind Produktion und Reichtum nur leere Mythen; sie haben nur dann einen Sinn, wenn sie zur lebendigen Freude des Einzelnen führen... Wenn wir das Leben nicht in unserem Dasein und durch unsere Mitmenschen lieben, dann ist es vergeblich, es irgendwie rechtfertigen zu wollen.* [253] Diese Verbindung von Freiheit und Daseinsfreude und in der Daseinsfreude von Individuum und Gemeinschaft ist neben der Wichtigkeit, die dem gezielten Handeln beigemessen wird, wesentliches Merkmal des Beauvoirschen Existentialismus.

Später freilich distanzierte sich die Autorin von dem *Idealismus* ihrer Ansichten. *Von allen meinen Arbeiten ist es diese, die mich am meisten ärgert*[254], sagt sie dann über *Für eine Moral der Doppelsinnigkeit*, weil sie sich vorwirft, darin den Menschen besonders unbekümmert aus seinen historischen und gesellschaftlichen Zusammenhängen herausgerissen und dadurch die Wirklichkeit verfälscht zu haben. Was Simone de Beauvoir jedoch im Eifer ihrer späteren Selbstkritik vergißt, ist die Tatsache, daß sie in ihrer *moralischen Periode* weder die sozialen noch die geschichtlichen Bedingungen der Menschen negierte. In der noch nicht gefestigten, Reform versprechenden Situation der unmittelbaren Nachkriegsjahre schienen sie ihr nur nicht so allesbeherrschend wie in der Folge.

«Les Temps Modernes» brachte 1946 noch vier weitere, zum Großteil polemische Aufsätze: *L'Existentialisme et la sagesse des nations* [*Der Existentialismus und die Weisheit der Nationen*], der die Klischees und den Zynismus, mit denen sich die meisten an Stelle philosophischer Überzeugungen zufriedengäben, anprangert, *Idéalisme morale et réalisme politique* [*Moralischer Idealismus und politischer Realismus*], der ebenfalls die Feinde des Existentialismus angreift, und *L'Œil pour l'œil* [*Auge um Auge*], der Strenge in der

Bestrafung der Kollaborateure fordert. Nur *Littérature et Métaphysique* [*Literatur und Metaphysik*] beschäftigt sich mit literarischen Fragen und definiert die existentialistische Romanpraxis auf eine Weise, die zeigt, daß Simone de Beauvoir es trotz persönlicher Neigung zur Lehrhaftigkeit prinzipiell stets ablehnte, den Roman als ideologisches Instrument zu betrachten. Für sie ist er ein *authentisches geistiges Abenteuer*[255], in dem *sich ein Mensch in seiner Totalität der Welt in ihrer Totalität stellt*[256].

Gesammelt erschienen diese vier Aufsätze erst 1948 unter dem Titel *L'Existentialisme et la sagesse des nations*. Zu diesem Zeitpunkt hatte Simone de Beauvoir jedoch bereits andere Pläne und Interessen; der Abschnitt ihres Schaffens, in dem sie den Existentialismus streng als eine Lehre, die es anzuwenden und zu verteidigen galt, behandelte, war vorbei. In der Folge nahm sie in ihren Werken eine entspanntere, sicherere Haltung ein, die sie prinzipielle, philosophische und moralische Überlegungen allgemeiner Natur in den Hintergrund und eigene Erfahrungen und Anliegen mehr noch als bisher in den Vordergrund stellen ließ. Jetzt erst kamen die Werke, die sie in ihrem eigenen Namen berühmt machten.

Die Öffnung der Welt

Eines der Wunder der Jahre nach 1945 war es für Simone de Beauvoir, *daß sich die Welt so plötzlich öffnete*[257]. Nach der Absperrung der Besatzungsjahre konnte sie, zu deren *brennendsten Wünschen*[258] es seit der Jugend gehört hatte, so viel als nur möglich von der Welt zu sehen, wieder reisen, und das in einem vorher nie erträumten Ausmaß. Diese Eröffnung der Welt war ein allgemeines Nachkriegsphänomen. Simone de Beauvoir erlebte es jedoch früher und intensiver als die meisten ihrer Zeitgenossen, weil Reisen ihr so unendlich viel bedeutete und weil sie als Existentialistin und Freundin Sartres schnell zu einem im Ausland begehrten «Exportartikel» französischer Kultur wurde und von überall her Einladungen bekam. Seit der Befreiung beschränkte kein Brotberuf mehr ihre Unternehmungen. Sie ließ sich vom Schuldienst, in den man sie wieder aufgenommen hatte, beurlauben und lebte von nun an als freie Schriftstellerin, zunächst – bis ihre eigenen Bücher genug einbrachten – von dem Geld, das Sartre, der ebenfalls das Lehren aufgegeben hatte, mit seinen Theaterstücken und Filmrechten verdiente. *Meine eigentliche Leistung waren meine Bücher, und sie ersparten mir jede andere Form der Selbstbehauptung*[259], rechtfertigt sie diese finanzielle Abhängigkeit später, als sie ihren Geschlechtsgenossinnen immer wieder zur Selbständigkeit riet und darauf bestand, daß diese *beim Portemonnaie*[260] beginne. Außerdem meint sie: *Wir* (sie und Sartre) *hatten schon immer unsere Einkünfte in einen gemeinsamen Topf getan.*[261] Unter diesen, wie sie wohl wußte, privilegierten Bedingungen genoß Simone de Beauvoir die Möglichkeiten und Freuden, die ihr die Öffnung der Welt nach dem Krieg bot, wie kaum einer ihrer Zeitgenossen, fühlte aber auch eine wachsende Verantwortung. Als zutiefst betroffene Zeugin berichtet sie in zwei Reisebüchern, auf vielen Seiten der Memoiren und in dem Roman *Die Mandarins von Paris*, beispielhaft für viele, was ihre Erkundung der Erde für sie bedeutete und brachte.

Simone de Beauvoir sah im Reisen Aufgabe und Vergnügen zugleich. Sie hatte sich vorgenommen, *die Welt gründlich kennenzulernen*[262], und sehen, selbst dabei sein war ihr der wichtigste Weg dazu. *Gewiß*, räumt sie ein, *bloßes Sehen genügt nicht: man kann durch Städte und Landschaften gehen, ohne etwas von ihnen zu begreifen. Um mir eine Vorstellung von einem Land zu machen, brauche ich Lektüre und Gespräche, aber sie allein können mir nicht die Gegenwart der Dinge in ihrem eigentlichen Leben vermitteln. Wenn ich durch die Straßen gehe, mische ich mich unter die Menge: die Stadt und ihre Bewohner werden mir in einer Weise lebendig, wie es Worte nie tun könnten.*[263] *Wie konnte ich mir auch nur das Geringste entgehen lassen?*[264] war die rhetorische Frage, die sie dabei rastlos durch Landschaften, Städte, Museen trieb und ihre Begleiter – Sartre, der ihre Reiselust, nicht aber ihre Besessenheit und Naturliebe teilte, war der treueste – atemlos zurückließ. «Ihre Zeit, Zeit, Zeit, ihr Zeitgefühl – sie kann keine Minute vergeuden»[265], stöhnte zum Beispiel der Amerikaner Nelson Algren, nachdem er ihr Teile der USA gezeigt hatte. Aber gerade die Dringlichkeit und Unerschöpflichkeit ihrer selbstgewählten Aufgabe entsprach den tiefsten Bedürfnissen Simone de Beauvoirs: *Die Kontingenz erschreckt mich*, schreibt sie. *Indem ich die Zukunft mit Erwartungen, Anrufen, Forderungen belebe, verleihe ich der Gegenwart eine Notwendigkeit.*[266] Diese Notwendigkeit bot sich im Reisen als besonders zwingend und befriedigend, weil hier bürgerlicher Bildungs- und Tätigkeitsdrang mit nachromantischem Kult des Erlebens eine beglückende Synthese eingehen konnten. Die Beauvoirsche Lebensgier, die die Welt einerseits im Wissen beherrschen und – *weil mein Wunsch die Welt kennenzulernen aufs engste mit dem Wunsch verknüpft ist, sie auszudrücken*[267] – im Wort bannen wollte, sich ihr andererseits aber immer wieder im Gefühl ganz hinzugeben suchte, fand im Wandern und Reisen höchste Erfüllung.

Aus diesen Gründen war Reisen für Simone de Beauvoir auch – und besonders, als die «fiestas» nach dem Krieg aufgehört hatten – das eigentliche Fest, *Apotheose des Daseins*, ihres Daseins. Im Rausch der Bewegung und des Schauens erfuhr ihr besonderes, Glück mit ständigem Weiterschreiten identifizierendes Lebensgefühl unmittelbarste Bestätigung. Hören wir als Beispiel, was sie über das Vergnügen des Autofahrens – 1951 kauften sie und Sartre ihr erstes Auto, sie lernte und liebte es zu chauffieren – sagt: *Im Wagen* (am Steuer) *bin ich anwesend und habe den Eindruck, durch die Ortsveränderung, die ich mit meinem Körper vollziehe, selbst die Bilder hervorzurufen, die sich mir bieten: in der Bewegung liegt etwas Berauschendes, wenn sie die Koinzidenz des Zeitablaufs und das Vorüberrollen eines an Eindrücken reichen Raumes bewirkt: Wenn ich bei einer Fahrt dahingleite, bewege ich mich ständig auf der Grenze zwischen Erinnerung und Vorausschau; ich halte noch ein letztes Bild in mir fest, während meine Neugier mich neuen Entdeckungen entgegentreibt; ich bin Gedächtnis und Erwartung, ganz gegenwärtig bei dem, was mich verläßt, und dem, was sich ankündigt.*[268]

Freilich, nach dem Krieg war der Genuß des Reisens nie mehr ein ganz ungetrübter. Simone de Beauvoirs soziales Bewußtsein war erwacht und zwang sie, die Menschen, die sie bisher gar nicht oder höchstens als pittoreske Elemente der Landschaften und Städte wahrgenommen hatte, genauer zu betrachten. Die erste Nachkriegsreise – 1945 nach Portugal – hinterließ in dieser Hinsicht einen tiefen, unvergeßlichen Eindruck, der später in dem Roman *Die Mandarins von Paris* künstlerischen Niederschlag finden sollte. Hier gibt sich der Held Henri, der nach dem Krieg ebenfalls nach Portugal fährt, dem langentbehrten Vergnügen, wieder die Schönheiten eines fremden Landes entdekken zu können, mit Begeisterung hin, wird aber immer wieder, auch von seiner jungen, kompromißlosen Begleiterin Nadine, daran erinnert, wieviel Elend sich hinter der pittoresken Oberfläche verbirgt. *Vielleicht wäre es hübsch,* ruft sie angesichts der schimmernden Lichter Lissabons, *wenn man nicht wüßte, was dahinter ist. Aber wenn man das weiß . . . ich verabscheue diese widerliche Stadt!*[269] Ihre Reaktion ist extrem, die Henris – und seiner Schöpferin – gemäßigt und ambivalent. *Man muß gleichgültig sein gegen seine Mitmenschen oder sie sogar verachten, um den freien Blick des Ästheten über die Erde wandern zu lassen,* erklärt Simone de Beauvoir einerseits. *Indessen,* fährt sie andererseits fort, *wäre sie* (die Erde) *doch sehr trübsinnig, wenn wir in ihr nicht Anspielungen, Symbole, Entsprechungen entziffern würden, die uns auf ihre und unsere Geschichte, auf die Kunst, die Literatur zurückverweisen, wenn sie in uns nicht Erinnerungen weckte, die Möglichkeit eines Entweichens böte und uns eigene Schöpfungen einzugeben vermöchte.*[270] Henri begegnet diesem Dilemma, indem er seine Vergnügungsfahrt durch Portugal zwar genießt, sie aber dann abbricht, um sich mit Linksintellektuellen und Kommunisten zu treffen und Informationen zu sammeln, auf Grund derer er die Mißstände dieses faschistischen Landes in seiner Zeitschrift in Frankreich aufdecken kann. Seine Handlungsweise veranschaulicht die Haltung, die auch Simone de Beauvoir nach dem Krieg einnahm. Sie ließ sich ihre Freude am Reisen trotz aller Empfindlichkeit für Armut und Ausbeutung nie wirklich zerstören – nur unter dem Eindruck des Algerien-Krieges meinte sie vorübergehend: *Es macht mir keinen Spaß mehr, auf dieser ihrer Wunder beraubten Erde herumzureisen*[271] – erweiterte jedoch den selbstgewählten Auftrag, kennenzulernen und auszudrücken, auf soziale und politische Verhältnisse. Zu den weiterhin mehr oder weniger *durch bloße Laune bestimmten Erkundungsfahrten*[272] kamen viele, auf denen sie den Lebensbedingungen der Bevölkerung besondere, systematische Aufmerksamkeit schenkte.

Zunächst reiste Simone de Beauvoir noch halboffiziell als Kulturbotschafterin Frankreichs, eben nach Portugal, nach Tunesien, in die Schweiz, in die USA. Die fünfziger und sechziger Jahre aber brachten Fahrten in die UdSSR (1955, 1962–66 jedes Jahr), nach China (1955) und nach Kuba (1960 zweimal) und stellten unter anderem einen

Mit Sartre in Italien, 1946

Unten: 1947 in den USA

Mit Sartre in Berlin-Tegel, 1948

scharfen Protest gegen die Politik des Westens dar. Sie und Sartre reisten jetzt im Dienst der linksintellektuellen «Internationale». Letzten Endes suchten sie auf vielen dieser und anderer Reisen (Nordafrika, Südamerika, kleinere Ostblockländer) nach Zeichen eines *wirklichen Sozialismus*, der die Freiheit des Individuums – und natürlich des Intellektuellen – respektieren würde. Doch am Ende ihres vierten Memoirenbandes *Alles in allem* gesteht Simone de Beauvoir, daß ihre Hoffnungen schließlich überall enttäuscht wurden. Bis 1968 hatten sie, trotz Stalin, trotz Ungarn, fast verzweifelt an der Sowjet-Union als dem *Träger der Weltrevolution* festgehalten, nach dem Eindringen der sowjetischen Panzer in die Tschechoslowakei gaben sie jedoch endgültig auf. *Nicht ohne Bedauern*, beendet Simone de Beauvoir das Kapitel UdSSR, *sage ich mir, daß ich Moskau wohl nie wiedersehen werde.*[273] Auch *die ungeahnten Perspektiven*, die sie sich von der Befreiung der Dritten Welt erträumt hatte, erfüllten sich nicht. *Heute sind fast alle progressistischen Regime gestürzt*[274], heißt es über Afrika. Und Kuba, 1960 *das Land der Freiheit*, enttäuschte sie in der Folge durch die Bedingungslosigkeit, mit der es sich an Moskau anschloß, schwer. Im übrigen Lateinamerika – sie war 1960 zusammen mit Sartre in Brasilien gewesen – schien *die Bilanz* auch *nicht eben tröstlich.*[275] *Dem Sieg Allendes in Chile* würde, so fürchtete sie 1971, *keine Hoffnung beschie-*

den sein[276]. Im Fernen Osten gehörten ihre Sympathien China – Indien wollte sie nicht einmal sehen (*die Komplexität der wirtschaftlichen und politischen Probleme entmutigt mich*[277]) –, da es der Dritten Welt *einen armen Sozialismus als Modell*[278] hinzustellen suchte. *Indessen*, resümierte sie Jahre nach ihrem eigenen hoffnungsvollen China-Buch, *könnte ich China nicht jenes blinde Vertrauen schenken, das einstmals die UdSSR in so vielen Herzen zu erwecken vermochte.*[279]

Trotz ihrer Skepsis hielt Simone de Beauvoir jedoch auch weiterhin an der einmal gewählten Aufgabe fest: Sie wollte fremde Länder sehen, deren Verhältnisse bekanntmachen und auf diese Weise für eine bessere, freiere Welt eintreten. Daß eine solche Welt nicht von heute auf morgen kommen würde und daß ihre Beiträge auf jeden Fall nur sehr bescheiden sein würden, darüber gab sie sich kaum Illusionen hin. In zunehmendem Maße bestand sie, die sich im allgemeinen mit der französischen Linken identifizierte, jedoch auch ihnen gegenüber auf einem offenen Blick. *Ich bedaure*, erklärt sie, *daß die nichtkommunistische Linke fast genauso monolithisch geworden ist wie die Kommunistische Partei. Ein «Linker» muß China bedingungslos bewundern, muß Partei ergreifen für Nigeria und gegen Biafra, für die Palästinenser und gegen Israel. Solchen Bedingungen füge ich mich nicht.*[280] Die Wirklichkeit menschlicher Entbehrungen und menschlichen Leidens war in ihren Augen zwingender als jede Ideologie, auch die eigene. So sah sie zwar in Israel – das sie wie auch Ägypten kurz vor dem Sechs-Tage-Krieg besucht hatte – ein kapitalistisches Land, dessen Politik sie in vielem ablehnte, konnte aber die Verfolgungen, die die Juden unter den Nazis erlitten hatten, nicht vergessen. Deshalb erschien ihr, obwohl sie keineswegs araberfeindlich eingestellt und von Nassers Ägypten sehr beeindruckt war, *der Gedanke, Israel könne eines Tages wieder von der Landkarte verschwinden, einfach verabscheuungswürdig ... Dies um so mehr, als der Antisemitismus in ganz Europa auch weiterhin schwelt und für die von ihm ausgehenden Bedrohungen Israel für die Juden die einzig sichere Zuflucht bleibt.*[281] Israel dankte ihr die Fürsprache 1975 mit dem Preis von Jerusalem.

Bei ihrer Reiselust und ihrem Interesse an der Welt ist es nicht erstaunlich, daß sie ihre Hand auch an zwei, im übrigen sehr verschiedenen, Reisebüchern versuchte. Das erste, *L'Amérique au jour le jour* [*Amerika – Tag und Nacht*] erschien 1948 und berichtet in Form eines Tagebuchs von der Ankunft am 25. Januar 1947 bis zur Abfahrt am 20. Mai über ihre erste Reise in die USA. (Aber auch die Eindrücke eines zweiten Aufenthalts, im September desselben Jahres, wurden verarbeitet.) Die USA bedeuteten ihr und Sartre damals noch sehr viel: *Vor allem: das Unerreichbare: Jazz, Film, Literatur hatten uns in unserer Jugend interessiert, waren aber auch ein großer Mythos gewesen ... Amerika war außerdem der Erdteil, der die Befreier geschickt hatte.*

Die Zukunft war auf dem Marsch. Der Überfluß und die grenzenlosen Horizonte; ein Tohuwabohu legendärer Bilder: Wenn man sich überlegte, daß man das alles nun mit eigenen Augen sehen sollte, wurde einem schwindelig.[282]

Dieses Gefühl, ein kaum erhofftes, großartiges Abenteuer zu erleben, färbt die ganze Reportage, deren Ton lebendig und persönlich ist. Die Autorin war tief beeindruckt von dem Land selbst, von seinem Reichtum, seiner Größe, seiner Vielfalt: *Der amerikanische Luxus warf mich um: die Straßen, die Auslagen, die Autos, die Frisuren und Pelze, die Bars, die drugstores, die grellen Neonlichter, die riesigen Entfernungen, die man mit dem Flugzeug, der Bahn, dem Auto, mit den Greyhound-Bussen bewältigt, die abwechslungsreiche Pracht der Landschaft, vom Schnee des Niagara bis zu den flammenden Wüsten Arizonas, und die verschiedenartigen Menschen, mit denen ich mich tage- und nächtelang ausführlich unterhielt. Ich verkehrte nur mit Intellektuellen, aber was für ein Unterschied zwischen dem Weißkäsesalat am Vassar College*

Bei Fidel Castro in Kuba

und der Marihuanazigarette, die ich mit Bohemiens aus Greenwich in einem Zimmer des «Plaza» rauchte.[283] Aber sie *fiel aus allen Wolken,* sobald sie das geistige Leben der USA näher kennenlernte, den fast neurotischen Antikommunismus, dem sie auch bei den meisten Intellektuellen begegnete, und die herablassende Arroganz, mit der die Amerikaner auf Europa und Frankreich hinuntersahen. Sie beklagte den Konformismus, den sie überall antraf, der ihr aber bei der Jugend besonders bedauernswert erschien, und bemerkte enttäuscht, in welcher Isolation und Apathie die wenigen anders Denkenden lebten. Sie verurteilte den Rassismus, die alles beherrschende Macht des Geldes und entlarvte den Mythos von der Herrschaft der amerikanischen Frau. Ihre Kritik provozierte in der McCarthy-Ära in den USA heftige Angriffe, in den sechziger Jahren dagegen erkannten viele Amerikaner nicht nur dieselben schwachen Punkte ihres Systems, sondern gingen in ihrer Kritik noch viel weiter.

Eigentlich hatte Simone de Beauvoir gar nicht geplant, ein Buch über die USA zu schreiben. Doch der überwältigende, widersprüchliche Eindruck dieses Landes wurde noch durch eine persönliche Bindung verstärkt, der Liebe zu dem amerikanischen Schriftsteller Nelson Algren. In *Amerika – Tag und Nacht*, in dem nur Initialen vorkommen, ist er bloß N. A., ein Freund, der ihr Chicago zeigte. Erst im dritten Band der Erinnerungen hören wir Genaueres über das Verhältnis, das ihr sehr wichtig war und viele Tränen kostete (Simone de Beauvoir weinte oft genug und schämte sich ihrer Gefühlsausbrüche nie). Die Initiative bei dieser transatlantischen Affäre war von ihr ausgegangen. Sie hatte Algrens Adresse von Freunden in New York erhalten und ihn angerufen, als sie nach Chicago kam. Er zeigte ihr die Teile der Stadt, die er gut kannte und die sie gern sehen wollte, schäbige Viertel, heruntergekommene Kneipen. Sie verstanden einander gut. Als Sartre dann bat, sie möge länger in Amerika bleiben, weil seine Freundin Dolores Vanetti Ehrenreich (die *M* der Memoiren), die er auf einer USA-Reise im Jahre 1945 kennengelernt hatte, noch einige Tage bei ihm in Paris verbringen wollte, rief sie Algren an. *Ich hatte es satt, Touristin zu sein. Ich wollte mit einem Mann spazierengehen, der vorübergehend mir gehörte... «Können Sie herkommen?» fragte ich ihn. Er konnte nicht kommen, wollte aber, daß ich nach Chicago käme...*[284] Sie kam. *Unser erster Tag glich den Tagen, die Anne und Lewis in Les Mandarins miteinander verbringen: Befangenheit, Ungeduld, Mißverständnisse, Verdrossenheit und zuletzt der Glanz einer tiefen Übereinstimmung. Ich blieb nur drei Tage in Chicago... Bevor ich ihn verließ, sagte ich ihm, daß ich für immer in Frankreich gebunden sei. Er glaubte mir, ohne es zu begreifen. Ich sagte auch, daß wir uns wiedersehen würden...*[285] Schon im Herbst desselben Jahres kam sie zurück, 1948 machten die beiden gemeinsam eine größere Reise durch den Süden

Mit Nelson Algren und Olga Bost in Cabris, 1949

der USA und nach Mexiko, 1949 war er in Frankreich, 1950 und 1951 kam sie zweimal in die USA. Aber bereits 1948 ließ Algren spüren, daß er keine Nebenrolle spielen, daß er sie unter diesen Umständen nicht lieben wollte. Simone de Beauvoir gab so leicht nicht auf. Als sie jedoch 1951 Chicago verließ, blieben ihr nur noch die Tränen: *Im Taxi, im Zug, im Flugzeug und abends in New York bei einem Disney-Film, in dem Tiere einander auffressen, weinte ich unaufhörlich.*[286]

Sie bewahrte für Algren eine herzliche Freundschaft und freute sich, als er sie 1960 in Paris besuchte. Er dagegen – ein Bewunderer Hemingways und dessen Machismotradition – hatte sich offensichtlich schnell an der unabhängigen, für ihn halben Art ihrer Liebe gestoßen und konnte später nicht verzeihen, daß seine ehemalige Geliebte in ihren Memoiren so freimütig über die Beziehung sprach. Auch er redete nun; was er sagte war nicht gerade schmeichelhaft: «Sie romantisiert die Affäre wie eine alte Jungfer», behauptet er. «Es ist eine Fälschung, aus alldem eine Héloïse–Abélard-Geschichte zu machen. Sie ist nicht Héloïse und ich bin nicht Abélard – hoffentlich nicht. Sie schreibt wie in einem Dreigroschenroman – Madame Quatsch-Quatsch... sie ist völlig humorlos.» So wie er das Verhältnis jetzt sieht, war es «hauptsächlich Freundschaft. Sie war eine sehr gute Reisegefährtin. Alles war beiläufig, heiter.»[287] Simone de Beauvoir andererseits erzählt, daß ihm das Verhältnis ursprünglich so ernst war, daß er sie bat, ganz bei ihm zu bleiben, ihn zu heiraten. Sicher ist, daß er nicht bereit war, den Dritten in einem jener «bedingten» Liebesverhältnisse zu spielen, mit denen sie und Sartre in ihrer Jugend geplant hatten, den ewigen Konflikt zwischen Treue und Freiheit zu lösen. *Wenn mein Einverständnis mit Sartre über dreißig Jahre gedauert hat*, schreibt sie später in der Erkenntnis, daß dieses *System* ebenfalls *Fehler* hatte, *ist das nicht ohne Verlust und Streit möglich gewesen, deren Kosten die «anderen» zu tragen hatten.*[288] Aber nicht nur die «anderen» litten, auch sie fühlte die Schwierigkeiten dieser Arrangements schmerzhaft. Sartres Liebesaffären ließen doch manchmal Eifersucht oder Zweifel aufkommen, und sie selbst hatte zu wenig Lust auf flüchtige Abenteuer, als daß sie ihre späte Liebe zu Algren hätte leicht nehmen können, ganz besonders, da sie damals überzeugt war, *daß mein Alter und die Umstände es nicht mehr erlaubten, auf eine neue Liebe zu hoffen*[289]. Sie sollte sich irren.

Als Simone de Beauvoir die USA zum erstenmal besuchte, begegnete sie Land und Leuten noch mit Erwartung und großer Anteilnahme. Sehr schnell jedoch verwandelten die Verstärkung des Kalten Krieges ihre eigene politische Position und schließlich der Vietnam-Krieg das ursprüngliche Interesse in tiefe Abneigung gegen einen abstrakt gesehenen, imperialistischen und kapitalistischen Staat, dessen Zusammenbruch sie erhoffte. Schon wegen dieses Hasses auf die

In China, 1955

USA brachte sie auch der Bundesrepublik nach dem Krieg wenig Sympathie entgegen, da diese in ihren Augen ganz unter amerikanischem Einfluß stand.

Neben den USA war China das zweite Land, dem Simone de Beauvoir ein eigenes Buch widmete. Es interessierte sie eigentlich nur aus politischen Gründen. Sie hatte alles, was in Frankreich über die chinesische Revolution erschienen war, mit Interesse gelesen und ergriff die Einladung, die 1955 an sie und Sartre erging, selbst zu sehen, was das neue System geleistet hatte, mit Begeisterung. Diese Reise war jedoch von Anfang an *weder eine Wanderung noch ein Abenteuer, noch ein Erlebnis, sondern eine an Ort und Stelle ohne Umschweife durchgeführte Studie*[290], an die sich nach der Rückkehr und dem Entschluß, *über China zu schreiben*, um die *Unwissenheit* und *Voreingenommenheit*, die in bezug auf dieses Land im Westen herrschten, zu bekämpfen, noch sehr viel fleißige und gewissenhafte Forschungsarbeit in Bibliotheken und Informationszentren anschloß. Das Resultat, keine lebendige Reportage, sondern ein langer, mit historischen, soziologischen, ökonomischen Informationen und vielen Statistiken vollgepackter Essay, bietet denn auch alles andere als leichte Lektüre. Viele Teile sind außerdem heute bereits veraltet, und das zentrale Anliegen des Buches, die Apologie für das China Maos, hat inzwischen viel von seiner damaligen Provokanz verloren. Wie oft in ihren Büchern äußerte Simone de Beauvoir Ansichten, die heute, wenn nicht allgemein, so doch wesentlich weiter verbreitet sind als zur Zeit der ersten Veröffentlichung. Trotzdem lohnt *La Longue Marche* (1957; wörtlich «Der lange Marsch»; der Titel der deutschen Übersetzung lautet *China – Das weitgesteckte Ziel*) die Lektüre noch immer, weil sowohl der Standpunkt der Autorin als auch vieles von dem Wissen und den Beobachtungen, die sie anhäuft, weiterhin relevant sind. Sie schreibt als kultivierte, bereiste Westeuropäerin, die zum erstenmal einer gänzlich fremden Zivilisation begegnet und dadurch die eigene in einem neuen Licht sieht. Was sie interessiert ist nicht die traditionelle Kultur, deren Zerstörung sie auch im Gegensatz zu vielen Sinologen, die über China berichten, keineswegs bedauert – nur die Oper faszinierte sie –, sondern *das Antlitz der dritten Welt,* das ihr in diesem riesigen Land entgegenstarrte und das sie bisher nicht beachtet hatte. *In meinen Augen,* erklärt sie, *brachten die chinesischen Massen das Gleichgewicht auf unserem Planeten ins Wanken. Die Not des Fernen Osten, Indiens und Afrikas wurde zum wahren Kern der Welt, und unser abendländischer Komfort zu einem engbegrenzten Privileg.*[291] Aus dieser Perspektive sieht sie China in ihrem Buch. Der Titel ist eine Anspielung auf Maos langen Treck nach Jenan, die tiefere Bedeutung liegt aber in dem Marsch in eine bessere, menschenwürdige Zukunft, auf dem sich die Chinesen ihrer Meinung nach als einzige große, unterentwickelte Nation befanden. *Die Leute waren anständig gekleidet, gut untergebracht und hatten zu essen.* Doch mehr als das bereits Erreichte imponierte ihr *die ungeduldige Energie, mit der dieses Volk die Zukunft aufbaute*[292]. Simone de Beauvoir hatte den Eindruck, daß die zu dieser Zeit 600 Millionen Chinesen ihr existentialistisches Credo von der gemeinsamen, rastlosen Arbeit für ein weitgestecktes, politisches Ziel lebten. Da sie in Frankreich längst alle Hoffnungen aufgegeben hatte und sich während der Arbeit an ihrem China-Buch (es war die Zeit des Algerien-Krieges) gänzlich isoliert fühlte, erschien ihr dieser kollektive Enthusiasmus besonders positiv, zumal während ihres Besuchs gerade eine Tauwetterperiode geherrscht hatte. In späteren Jahren nahm sie, wie schon gesagt, eine eher abwartende Haltung ein. *Wenn man mir sagt, die Arbeiter hätten das Recht auf drei Wochen Urlaub, verzichteten jedoch aus Begeisterung für den Sozialismus darauf, so bleibt mir im Gedächtnis haften, daß sie keinen Urlaub haben*[293], meint sie jetzt skeptisch.

Neben den zwei Reisebüchern berichten viele – manchem Leser zu viele – Seiten der Erinnerungen von den Erfahrungen und Beobachtungen, die das Reisen der Autorin gebracht hat. Einige Länder, wie Brasilien und Japan, werden ausführlicher beschrieben, es handelt sich

Brasilien, 1960, mit Jorge Amado (rechts)

dabei um kleine Reportagen im Stile von *Amerika – Tag und Nacht*, andere, vor allem Vergnügungsfahrten, werden nur kurz erwähnt. Es geht Simone de Beauvoir nicht eigentlich darum, das Gesehene in all seinen Details darzustellen – ihre Methode ist häufig ein atemloses Nennen –, sondern darum, ihre eigenen Reaktionen offen und ehrlich festzuhalten. Sie war nicht nur eine intelligente, unermüdlich wissensdurstige Beobachterin, sie besaß auch eine besondere Gabe der Betroffenheit[294], die die Eröffnung der Welt als wichtiges zeitgeschichtliches Phänomen, als großes Privileg und als ernste Verantwortung für die Wohlhabenden – Länder wie Menschen – erlebte und begriff.

«Die Mandarins von Paris»

Wenn wir nach diesem Exkurs über Simone de Beauvoirs Öffnung zur Welt, der zeitlich vorgriff, zum Leben in Frankreich zurückkehren, so erinnern wir uns, daß sich die Autorin 1946 noch ganz mit ihrem Land und dessen Zukunft identifizierte und dank ihrer Prominenz eine nicht unbedeutende Rolle darin zu spielen hoffte. *Es war wirklich eine neue Jugend, aufregender als die alte*[295], meint sie später nostalgisch. Zwar hatte *die Idylle des Herbstes 1944*[296], in der Gaullisten, Kommunisten, Katholiken und Marxisten alle *im Chor das Lied von den kommenden Tagen*[297] gesungen und in Eintracht zusammengearbeitet hatten, ein baldiges Ende gefunden, und die *existentialistische Offensive* des folgenden Herbstes hatte Anfeindungen gebracht, aber im wesentlichen schienen die Hoffnungen und Pläne der Befreiungszeit realisierbar. Bei den Wahlen hatte sich eine sozialistisch-kommunistische Mehrheit ergeben, von der Frankreich seine erste Nachkriegsverfassung – mit dem Wahlrecht für die Frauen – bekam. Simone de Beauvoir und Sartre stellten sich, nachdem die Einheitsfront der Résistance zerfallen war, politisch auf die Seite der Kommunisten. *Wir hatten die gleichen Ziele wie sie, und nur sie konnten diese Ziele verwirklichen.*[298] Die Massen standen hinter der KP. *Nur mit ihrer Hilfe konnte der Sozialismus siegen.*[299] Sie wollten aber, wie die Essays zeigten, dem Kommunismus gegenüber philosophisch *die menschliche Dimension des Menschen*[300] bewahren, ein Bemühen, das die französischen Kommunisten mit heftigen Angriffen lohnten. Wiederum folgte Simone de Beauvoir in diesen Fragen Sartre, wiederum betont sie jedoch, daß er einen Weg ging, den sie auch ohne ihn gewählt hätte: *Ich habe mich oft gefragt*, erklärt sie, *wo ich meinen Platz gefunden hätte, wenn ich nicht mit Sartre liiert gewesen wäre. Sicherlich in der Nähe der Kommunisten, aus Abscheu vor allem, was sie bekämpften. Andererseits liebte ich die Wahrheit viel zu sehr, als daß ich nicht das Recht beansprucht hätte, ihr ungehindert nachzugehen. Ich wäre nie in die KP eingetreten.*[301]

Den inneren und äußeren Druck aber, unter dem sich Sartre nach dem Krieg abquälte, eine für ihn haltbare ideologische Position auszuarbeiten und seine Stellungnahme durch konkrete politische Aktionen zu beweisen, spürte sie kaum. *Alles in allem fühlte ich mich im Gegen-*

satz zu Sartre weder in meiner gesellschaftlichen Realität noch als Schriftstellerin bedroht, meint sie. *Ich hatte immer mehr Geschmack am Unmittelbaren gefunden als er.*[302] Auch ihr «Engagement» nach dem Krieg, das sie *als nichts anderes als die totale Identifizierung des Schriftstellers mit dem, was er schreibt*[303], definierte, war sowohl allgemeiner als auch persönlicher. Weil sie selbst das Bewußtsein hatte, in so vieler – nicht nur ökonomischer – Hinsicht zu den Privilegierten dieser Welt zu gehören, nahm sie seit der Kriegszeit leidenschaftlich Anteil an der Ungerechtigkeit und dem Leid um sie her. Zur Feder griff sie vor allem dann, wenn ein Problem sie selbst direkt berührte, sie aber gleichzeitig auch verstand, daß andere ihm wesentlich hilfsloser ausgeliefert waren als sie. Simone de Beauvoirs Empfindsamkeit und ihr Aktivismus – sie identifizierte das eine mit der passiven Welt der Frauen, das andere mit der tätigen der Männer und bekannte sich in ihrer eigenen Existenz stets zu beiden – gaben ihr dabei einen besonders wachen Sinn für Unglück, das man bis dahin in seinem vollen Ausmaß übersehen oder einfach hingenommen hatte.

So stieß sie fast nebenbei und doch nicht zufällig auf ein Thema, das zu dieser Zeit kaum jemanden interessierte: die Unterdrückung der Frau. Ursprünglich wollte sie, als sie sich 1946 fragte: *Was soll ich jetzt schreiben?*[304], von sich selbst sprechen und nur von der Frage: *Was hat es für mich bedeutet, eine Frau zu sein?*[305] ausgehen. Sie glaubte schnell damit fertig zu werden, denn: *«Für mich, sagte ich zu Sartre, «hat das sozusagen keine Rolle gespielt.»* Er jedoch riet ihr, tiefer zu schürfen: *«Trotzdem sind Sie nicht so erzogen worden wie ein Junge: Das muß man genauer untersuchen.» Ich untersuchte es genauer und machte eine Entdeckung: Diese Welt ist eine Männerwelt, meine Jugend wurde mit Mythen gespeist, die von Männern erfunden worden waren, und ich hatte keineswegs so darauf reagiert, als wenn ich ein Junge gewesen wäre. Mein Interesse war so groß, daß ich den Plan einer persönlichen Beichte fallenließ, um mich mit der Lage der Frau im allgemeinen zu befassen.*[306] Schon in den letzten Jahren, in denen sie so viele neue Leute kennengelernt hatte, war ihr vage bewußt geworden, *daß es ein Frausein gibt.* Bis dahin hatte sie wenig Frauen ihres Alters gekannt und die Probleme ihrer Freundinnen, ihrer Schwester, von denen keine *das klassische Leben der Ehefrau* führte, individuell und nicht generell gesehen. Nun aber kam sie mit vielen Frauen zusammen, *die die Vierzig überschritten hatten und die bei aller Verschiedenartigkeit ihrer Voraussetzungen und Verdienste doch die gleiche Erfahrung gemacht hatten: ein Leben als «relative Wesen». Weil ich schrieb, weil ich in einer anderen Lage war als sie und auch wohl, weil ich ein guter Zuhörer war, erzählten sie mir vieles. Allmählich sah ich die Schwierigkeiten ... die Fallen, die Hindernisse, die die meisten Frauen auf ihrem Weg finden.*[307] Die nächsten drei Jahre arbeitete Simone de Beauvoir daran, diese Schwierigkeiten systematisch zu erforschen und in ihren historischen und soziologischen Zusammenhängen darzulegen. Ihr berühmtestes und gesellschaftlich bedeutendstes Buch *Le Deuxième Sexe* (1949; *Das andere Geschlecht*) entstand. Wir werden es in einem eigenen Kapitel genauer besprechen und dabei auf die Haltung eingehen, die die Autorin gegenüber den Positionen der – Jahre nach ihrem bahnbrechenden Werk – groß gewordenen neuen Frauenbewegung einnahm.

Als sie *Das andere Geschlecht* begann, fühlte sich Simone de Beauvoir noch eins mit ihrer Zeit und beurteilte daher auch die unmittelbare Zukunft der Frau optimistischer, als sie es später tat. Während der Arbeit daran *veränderten sich die Dinge* jedoch schnell. *Aus dem kollektiven Azurblau war ich zusammen mit vielen anderen in den Staub der Erde hinuntergepurzelt. Der Boden war mit zerstörten Illusionen übersät*[308], berichtet die Autorin mit jener Mischung aus etwas Ironie und viel Theatralik, mit der sie in ihren Erinnerungen die Einschnitte in ihrem Dasein markiert. Was sie so sehr enttäuschte war nicht ihr Privatleben, wenn auch Sorgen um Sartre, die schwierige Liebesaffäre mit Nelson Algren und das trotz allem gefürchtete Alter zur Empfindlichkeit beitrugen, sondern die politische Entwicklung in Frankreich und der Welt. Diese Enttäuschung sollte in den kommenden Jahren immer mehr zunehmen und schließlich während des Algerien-Kriegs die vielen persönlichen Erfüllungen und Erfolge, die ihr beschieden waren, so sehr verdunkeln und ihre Existenz so sehr verdüstern, daß sie 1963 am Ende des dritten Bandes ihrer Memoiren, dem sie den bezeichnenden Titel *La Force des choses* [*Der Lauf der Dinge*] gab, auf ihre jugendlichen Hoffnungen und ihr tatsächliches Leben zurückschauend *voller Bestürzung* feststellte, *wie sehr ich geprellt worden bin*[309].

Als sich 1947 die Fronten des Kalten Krieges zwischen den USA (die Frankreich den Marshall-Plan und damit in Sartres und Simone de Beauvoirs Augen einen Satellitenstatus und die Rückkehr zum Alten, zur Herrschaft der Bourgeoisie und des Kapitals, boten) und der UdSSR, die zwar den *Sozialismus verkörperte*, aber auch *eine der beiden Mächte* war, *die den Krieg ausbrüteten*[310], verschärften, trat das Paar dafür ein, sich keinem der beiden Blöcke anzuschließen. Aufrufe, Radiosendungen und 1948 eine neue Partei, das Rassemblement démocratique et révolutionnaire, deren Mitbegründer Sartre war, sollten *sämtliche nicht dem Kommunismus angeschlossenen sozialistischen Kräfte zusammenfassen und mit ihnen ein von beiden Blocks unabhängiges Europa aufbauen*[311]. Schon im nächsten Jahr scheiterte die Partei an dem Widerstand der Mittelschichten und dem Desinteresse des nichtkommunistischen Proletariats, Gruppen, auf die Sartre gezählt hatte. Obwohl Simone de Beauvoir mehr sympathisierende Teilnahme als aktive Mitarbeit investiert hatte, war sie zutiefst enttäuscht und

Mit den Gipshänden Sartres, 1949

begann sich isoliert zu fühlen. *Vor vier Jahren waren wir mit aller Welt befreundet gewesen – jetzt hielten uns alle für ihre Feinde*[312], klagte sie schon 1949. Und auch Sartre, der sich nach dem Fiasko der Partei in eine aufreibende Revision seines politischen Standpunkts vergrub, schien *fremder, als er es je gewesen war und als er es je hätte sein dürfen . . . Ich trauerte seinem früheren Leichtsinn und den Vergnügun-*

In ihrem Zimmer, Rue de la Bûcherie, 1948

gen unseres goldenen Zeitalters nach – den Spaziergängen, den Bummeleien, den Abenden im Kino (wo wir überhaupt nicht mehr hingingen).[313]

Sartres ideologische Revision überzeugte ihn, *daß es für die Linke keinen anderen Ausweg gebe, als die Aktionseinheit mit der KP wieder herzustellen*[314] und sich klar zum Marxismus zu bekennen; sonst liefe sie Gefahr, sich mit ihren Ideen *im leeren Raum zu verlieren oder rückschrittlich zu werden*[315]. Doch bestand er nach wie vor auf seinem eigenen Urteil und seinem Recht, ja seiner Pflicht zur Kritik. Zerstörte Freundschaften – so 1952 der Bruch mit Albert Camus – begleiteten diesen Weg, mit dem zunächst nicht einmal Simone de Beauvoir ganz einverstanden war. Sie fürchtete, *daß er sich durch die Annäherung an die KP allzusehr von seiner persönlichen Wirklichkeit trennen würde*[316] und wollte auch selbst diese Gefahr nicht eingehen. Erst 1953 «bekehrte» sie sich: *Ich liquidierte meinen idealistischen Moralismus und machte mir schließlich auch Sartres Gesichtspunkte zu eigen.*[317]

In ihrer Wendung zum Marxismus wurde sie aber noch von Claude Lanzmann beeinflußt. Er war einer der neuen jungen Mitarbeiter der

Rue de la Bûcherie

«Temps Modernes», die *jeden Schritt Sartres auf dem Weg zur KP als einen Fortschritt*[318] betrachteten. *Lanzmann war mir sehr sympathisch. Viele Frauen fanden ihn attraktiv: auch ich gehörte zu ihnen. In zwanglosem Ton servierte er die gewagtesten Formulierungen, und seine Geisteshaltung ähnelte der Sartres.*[319] 1952 wurde der fünfundzwanzigjährige Jude Simone de Beauvoirs Geliebter. Seine Gegenwart ließ sie für eine Weile ihr Alter vergessen; sie zogen zusammen und reisten viel. Auch Sartre hatte eine neue Liaison, mit Michelle Vian, die beide schon lange kannten. Die Paare verbrachten auf Reisen und auch sonst viele gemeinsame Stunden. Diesmal, scheint es, machte keiner der «kontingenten» Partner Schwierigkeiten, und so herrschte im Privatleben unserer Autorin wieder ein durch die Verhältnisse in Frankreich und der Welt allerdings oft genug in Frage gestelltes Glück.

Claude Lanzmann war es auch, der Simone de Beauvoir zur Weiterarbeit an dem schwierigen Projekt dieser Jahre, einem 1949 begonnenen Roman, ermutigte und einen Titel dafür vorschlug: *Les Mandarins* [*Die Mandarins von Paris*]. Er ist ironisch und paßt gut zu jener etwas traurigen Selbstironie, die das ganze Buch durchzieht. Die Anspielung auf die hochgebildeten und privilegierten Administratoren im alten chinesischen Kaiserreich bezieht sich auf ein Grundthema des Romans, die Frage nach der Stellung und der Rolle des Intellektuellen in der Gesellschaft. Die Pariser Linksintellektuellen von 1944 bis 1948, unter denen der Roman spielt, sind wie die chinesischen Mandarine (im Französischen bedeutet das Wort übrigens auch Pedant) abgeschnitten vom Volk, das sie zu lenken glauben, und werden sich dessen im Laufe der Handlung nur zu bewußt. *«Du hast eben einen sehr schönen, ich möchte sagen, bestürzenden Artikel geschrieben»*, komplimentiert man den Helden, der gerade die Illegalität und die Foltern in einem Madegassen betreffenden Prozeß bloßgestellt hat. *Henri zuckt mit den Achseln: «Leider hat er die große Welt nicht bestürzt.»*[320] Ineffektivität ist nur ein Problem der Intellektuellen, Verlust der geistigen Freiheit und Integrität im Dienst des «Handelns», der politischen Wirksamkeit, ein anderes. Wieder geht es um Wahl und Verantwortung, aber – und das ist ein zweites, mit dem ersten eng verbundenes Grundthema des Romans – nicht mehr auf der heroischen Ebene der Résistancezeit, sondern auf der reduzierten eines Nachkriegsalltags, wo die Hände nicht blutig, sondern nur wirklich schmutzig werden, weil keine klare Entscheidung zwischen Gut und Böse mehr möglich scheint. *Die Wahrheit sagen: bis jetzt waren daraus nie ernsthafte Probleme erwachsen*, grübelt der Held anläßlich der im Roman – und im Leben Sartres – brisanten Frage, ob man die Existenz der sowjetischen Zwangsarbeitslager, von der man eben (der Zeitpunkt wurde in der Fiktion vorverlegt) erfahren hatte, sofort bekanntmachen sollte, obwohl man damit dem Sozialismus, der ohnehin auf schwachen Beinen stand, schaden würde: *Er hatte es ohne Zögern bejaht, es war fast ein Reflex gewesen. Aber in Wirklichkeit wußte er weder, was er glauben, noch was er tun wollte ... Wenn man doch nur restlos dafür oder dagegen sein könnte! Aber um dagegen zu sein, müßte man den Menschen andere Möglichkeiten bieten können ... Indessen, wenn die Sowjet-Union nur ein System der Unterdrückung mit einem andern vertauscht hat, wenn sie die Sklavenherrschaft wieder errichtet hat, wie soll man ihr dann noch einen Funken von Freundschaft bewahren können? ... Vielleicht ist das Böse überall, sagte sich Henri ... Was er auch tat, er würde unrecht haben ... Wenn das Böse überall ist, gibt es keinen Ausweg, weder für die Menschheit noch für sich selbst.*[321]

Die Grundstimmung der Mandarine ist die der Enttäuschung, wenn auch der Glaube an die Freude und das «Engagement» immer wieder durchbricht und der Romam mit einer ironisch idyllischen Gartenszene schließt: Ein Glas Whisky, eine junge Ehe, sogar ein Baby, eine wiederhergestellte Freundschaft, die Gründung einer neuen Wochenzeitschrift – in der Erkenntnis, daß es nicht genüge, *wenn man sich sagt:*

«Die Geschichte ist auf jeden Fall unglücklich», um sich für berechtigt zu halten, seine Hände in Unschuld zu waschen: wichtig ist, daß sie mehr oder weniger unglücklich ist[322] – und eine alternde Frau, die ihren Selbstmordplan aufgibt, weil man sie ruft, und in diesen Garten hinuntersteigt: *Wer weiß? Vielleicht werde ich eines Tages von neuem glücklich. Wer weiß?*, sind die letzten, vom festlichen, erwartungsvollen Beginn am Weihnachtsabend des Jahres 1944 sehr verschiedenen Worte des Buches.

Enttäuschung war auch der Hauptimpuls gewesen, der die Autorin nach vier Jahren journalistischer und essayistischer Tätigkeit wieder zum Roman zurückgeführt hatte. *Ich wollte mein Verhältnis zum Tod, zur Zeit, zur Literatur, zur Liebe, zur Freundschaft, zum Reisen beschreiben. Ich wollte auch andere Menschen schildern, und vor allem die fiebrige, von lauter Enttäuschungen begleitete Geschichte der Nachkriegszeit erzählen*[323], heißt es in den Memoiren. Und weiter: *Was man damals den «Zusammenbruch der Résistance» nannte, hatte ich als eine persönliche Niederlage empfunden, als die siegreiche Wiederkehr des bürgerlichen Regimes. Mein Privatleben war stark in Mitleidenschaft gezogen worden. Unter lärmenden Zusammenstößen oder in aller Stille waren die Feuer der Freundschaft, die nach Beendigung der Besetzung rund um mich her loderten, mehr oder weniger erloschen. Ihre Agonie war mit dem Erlöschen unserer gemeinsamen Hoffnungen Hand in Hand gegangen, und um diesen Kern gruppierte sich mein Buch.*[324] Doch bestand Simone de Beauvoir stets darauf, daß das Werk keine *Chronik* und auch kein *Schlüsselroman* sei, sondern *eine Geisterbeschwörung.*[325] Sie wählte die Romanform, weil sie zwar eigene Erlebnisse darstellen wollte, aber solche, die sie *noch nicht überwunden, ja noch nicht einmal begriffen hatte*[326], und weil nur der Roman erlaubte, *zweideutige, widersprüchliche, voneinander getrennte Wirklichkeiten zusammenzufassen, indem man sie in die Einheit eines imaginären Objekts einzeichnet*[327].

Die Handlung der *Mandarins*, die auch nach einer von Sartre vorgeschlagenen festeren Verknüpfung noch immer verhältnismäßig lose blieb – *Mich langweilten die allzu straffen Konstruktionen*[328] –, dreht sich um zwei Hauptfiguren: um Anne Dubreuilh, Psychologin, Frau des berühmten Schriftstellers und ehemaligen Literaturprofessors Robert Dubreuilh und Mutter der achtzehnjährigen Nadine, und um Henri Perron, Schüler, Freund und Schriftstellerkollege Roberts und Herausgeber der alten Widerstandszeitung «Espoir». Simone de Beauvoir hielt sich an ihre bereits bewährte Technik und alternierte die Erzählung Henris – in der Er-Form und im Imperfekt – mit der monologartigen, zwischen Präsens und Imperfekt wechselnden Annes. *Erstens einmal ist es bequem, mehrere Blickpunkte zu benützen, um zu zeigen, wie schwer durchschaubar die Welt ist*[329], erklärt sie. Zweitens – und das ist für Feministinnen kein sehr befriedigender Grund – glaubte sie einen Mann und eine Frau zu benötigen, um die *Totalität meines Erlebnisses* darzustellen: *Vieles, das ich sagen wollte*, hing mit *meiner Lage als Frau* zusammen. *Durch sie* (Anne) *habe ich vor allem den negativen Seiten meiner Erfahrungen Ausdruck verliehen: der Angst vor dem Sterben, dem Schwindelgefühl vor dem Nichts, der Vergänglichkeit irdischer Freuden, der Schande des Vergessens, dem Ärgernis des Daseins. Die Lebensfreude, die Unternehmungslust, das Vergnügen an der Schriftstellerei habe ich Henri angedichtet.*[330] Diese Spaltung war ihrer Meinung nach notwendig, weil es ihr darum ging, den Leser *zu veranlassen*, in einem Schriftsteller *seinesgleichen und nicht ein merkwürdiges Tier zu sehen*. Sie wollte keinen Einzelfall darstellen. *Eine Frau aber, deren Berufung und Beruf die Schriftstellerei ist, ist eine größere Ausnahme als der männliche Kollege.*[331] Ohne Berufung und Beruf jedoch, in der Passivität, verfällt man dem Nichts und der Angst vor dem Nichts.

Nun hat Anne zwar einen Beruf, doch nimmt sie ihn nicht wichtig. Wie alle Frauen in der Fiktion Simone de Beauvoirs lebt sie als «relatives Wesen», für und durch die anderen: ihren viel älteren Mann, ihre Tochter, zu der sie eine tolerante, recht distanzierte Beziehung unterhält, und schließlich ihren amerikanischen Liebhaber Lewis Brogan. Mit dem Verlust von Lewis' Liebe bricht diese geborgte Welt zusammen. Ohne Liebe wollen und können die Heldinnen Simone de Beauvoirs nicht leben. Wenn Anne auch auf Selbstmord verzichtet, weil sie ihrer Familie nicht weh tun möchte, *ihre Rückkehr zum täglichen Einerlei ähnelt mehr einer Niederlage als einem Sieg*[332]; immerhin kommt Anne durch ihre vielfältigen Interessen und ihre echte Anteilnahme an der Arbeit ihres Mannes *einer wahren Freiheit näher* als die übrigen Frauencharaktere. Die Autorin des *Anderen Geschlechts* zeichnete, wie sie selbst, *ohne es zu bereuen*, zugibt, nie eine *vom feministischen Gesichtspunkt «positive Heldin»* – zumindest in den Romanen nicht. Da machte sie *einen Bogen um die Ausnahme. Ich schilderte die Frauen so, wie ich sie im allgemeinen sah, wie ich sie heute noch sehe: zersplittert.*[333]

Auch in der Handlung, die sich um Henri Perron dreht, spielt die Liebe eine Rolle, da sie selbstverständlicher Bestandteil des persönlichen Glücks ist, an das er – wie Simone de Beauvoir und Albert Camus, an den viele Leser bei Henri denken, und mit dem sich die Autorin in dieser Hinsicht lange Zeit auch identifizierte[334] – glauben will, zunächst als *eine Art, die Welt zu besitzen*, und dann als *eine Art, sich gegen sie zu schützen*[335]. Doch sind seine Beziehungen zu Frauen – zu der langjährigen Geliebten Paule, von der er sich zu trennen sucht, zu der Schauspielerin Josette, für die der ehemalige Widerstandskämpfer einen Meineid schwört, um sie vor den Folgen ihrer Vergangenheit mit deutschen Offizieren zu retten, zu Nadine, der Tochter Annes, die ein Kind von

Albert Camus

ihm erwartet und die er schließlich heiratet – nie das wichtigste; seine Schriftstellerei, die Schwierigkeiten seiner Zeitung, die Frage des richtigen politischen «Engagements», die Freundschaften und Brüche mit anderen Linksintellektuellen erfüllen den Großteil seiner Tage und Nächte. Als er am Ende des Romans entscheiden muß, ob er nach Italien gehen und dort seiner Arbeit als «reiner» Schriftsteller und seinem privaten Glück leben oder in Paris bleiben und sich weiter an den politischen Auseinandersetzungen beteiligen soll, hat Nadine nichts zu sagen, sie wird auf alle Fälle an seiner Seite sein. Henri entschließt sich zu bleiben: *Glücklich*; reflektiert er jetzt, *dieses Wort hatte eigentlich keinen Sinn mehr. Man besitzt nie die Welt: ebensowenig handelt es sich darum, sich gegen sie zu schützen. Man steckt in ihr drin, das ist alles ... Er konnte sehr wohl den Rest seines Lebens auf der Flucht verbringen, gedeckt wäre er nie. Er würde Zeitungen lesen, Radio hören, Briefe erhalten. Alles, was er dabei gewänne, bestünde darin, daß er sich sagte: «Ich kann nichts dabei machen.» Plötzlich entlud sich etwas in seiner Brust ... Nein. Er würde sich nicht damit abfinden, daß er sich ein für allemal sagte: «Alles geht ohne mich.»*[336] Während Anne am Ende des Romans sozusagen passiv und privat weitermacht, tut Henri es aktiv, öffentlich. Aber auch seine Erwartungen sind unsicher, bescheiden: *Er wußte, was auf ihn wartete ... diesmal war er gewarnt: «Gewissen Fallen entgehe ich wenigstens», sagte er sich; und dachte resigniert: «Dafür falle ich in andere.»*[337]

Neben Henri und Anne stehen viele andere zum Teil voll ausgezeichnete, zum Teil nur angedeutete Charaktere, Intellektuelle und Journalisten von unterschiedlichem Rang und ihr Kreis von Mitläufern, Gönnern, Frauen. Ihre wechselnden Beziehungen und ausführlichen Gespräche ergeben ein breites, reiches und vielfältiges Panorama des geistigen Frankreichs in der Nachkriegszeit. Da ist Robert Dubreuilh, *der Politik und der Literatur fanatischer verschworen als Henri. Durch die Kraft seiner Erfahrungen und die Schärfe seines Denkens den anderen überlegen*[338] – so sieht ihn Simone de Beauvoir selbst –, erinnert er natürlich an Sartre, sollte jedoch kein Porträt darstellen. *Die einzige Analogie*, erklärt die Autorin, *besteht in der Neugier, in der Weltoffenheit, im Arbeitseifer. Dubreuilh aber ist zwanzig Jahre älter als Sartre ... und er zieht die Politik der Literatur vor. Autoritär, zäh, verschlossen, wenig empfindsam und wenig umgänglich, selbst in der besten Laune noch düster, unterscheidet er sich grundlegend von Sartre.*[339] (Sie besteht auch darauf, daß Sartre im Fall der Arbeitslager und des sowjetischen Zwangsarbeitergesetzes nie mit der Veröffentlichung gezögert habe.) Trotzdem fragt sich der Leser der Memoiren, ob Simone de Beauvoir nicht doch sehr viel von ihrem damaligen Verhältnis zu Sartre in Fiktion umsetzte und gerade mit dem großen Altersunterschied, der Verschlossenheit, dem politischen Fanatismus Dubreuilhs eine Distanz und Einsamkeit ausdrücken wollte, die sie vielleicht nicht voll empfand, aber um so mehr fürchtete. Obwohl Dubreuilh Anne im Buch liebevoll begegnet und keine Rede davon ist, daß er sich jemals von ihr trennen wird, ist doch seine Beziehung zu ihr, so wie sie der Roman darstellt, eine letzte Variante des Themas «verlassene Frau». *Robert ist mit mir glücklich gewesen, wie er es mit einer anderen Frau oder für sich allein gewesen wäre. «Gib ihm Papier und Zeit, das ist alles, was er braucht»*[340], reflektiert Anne vor ihrem Selbstmordversuch.

Eigentliche Trägerin dieses Themas im Roman ist Paule, langjährige Geliebte Henris und Beispiel jener *großen Liebenden*, die im *Anderen Geschlecht* mit kühlem Blick seziert werden. Paule hat Henri zuliebe ihre ohnehin nicht sehr erfolgreiche Karriere als Sängerin aufgegeben. Seit zehn Jahren kennt sie keine Interessen, keine Beschäftigungen außer ihm und hält starr an den Farben, den Kleidern, den Gewohnheiten, die Henri einmal an ihr bewunderte, fest. Unfähig, zu verstehen

1954

oder zu akzeptieren, daß er weg will, tyrannisiert sie ihn mit ihrer eigenen Versklavung. Als er sie – für immer – verläßt, steht sie mit leeren Händen am Rande des Wahnsinns. Eine psychiatrische Behandlung heilt sie zwar; übrig bleibt jedoch nichts als eine banale, dick und alt werdende Frau, die das einzige, was ihrem Leben Sinn gab, die Liebe, verleugnet.

Von den drei Frauen, die im Roman eine Rolle spielen, gestattet Simone de Beauvoir nur der jungen Nadine die Chance eines – konventionellen – Glücks mit Kind und Mann. Nadine, die den Verlust ihres jungen Geliebten durch die Nazis vergessen will, indem sie in den Betten amerikanischer Soldaten herumschläft, begegnet ihrer Umwelt mit aggressiver Selbstsucht und Offenheit. *Anfangs*, schreibt Simone de Beauvoir über diese neue Version des egoistischen jungen Mädchens, *wollte ich mich an Nadine für gewisse Züge rächen, die mich bei Lise und bei mehreren Frauen, die jünger waren als ich, abgestoßen hatten, darunter auch eine sexuelle Roheit, die auf unangenehme Weise ihre Frigidität verrät, und eine Aggressivität, die nur sehr unzulänglich ihr Minderwertigkeitsgefühl verdeckt. Sie fordern Unabhängigkeit, ohne daß sie den Mut hätten, den Preis dafür zu zahlen. Doch nach und nach*, so fährt sie fort, *sah ich in den Umständen, aus denen ihr schlechtes Benehmen zu erklären war, Entschuldigungsgründe* (die berühmten und kühlen Eltern, die Besatzung, unter der sie aufgewachsen war, der Verlust des Geliebten, die schwierige, zweideutige Welt nach dem Krieg). *Nadine erschien mir mehr als ein Opfer denn als schuldig.*[341] Die Jugend, die Energie, die Unbedingtheit, die sie ihrem Geschöpf mitgegeben hatte, gewannen das Herz der Autorin.

Es ist nun interessant, daß man an den *Mandarins*, als sie 1954 erschienen, gerade die sexuelle Freizügigkeit, mit der die Charaktere von einem Bett ins andere schlüpften, und die direkte Darstellung des Liebesaktes rügte, während dem heutigen Leser daran – und übrigens auch in den Memoiren – höchstens die relative Diskretion in der Behandlung dieser Themen auffällt. Wie oft stand Simone de Beauvoir auch hier in der Vorfront einer Entwicklung, die sie bald ein- und überholte. Dann befand sie sich in der Mitte, zu viel für die einen, zu wenig für die anderen. Sie selbst fand später die radikaleren Einstellungen und Beschreibungen vieler Feministinnen sehr gut, meinte aber, daß die eigene strenge Erziehung sie für immer zur Zurückhaltung in sexuellen Fragen bestimmt habe. Für sie war Sexualität eigentlich nur als Teil der Liebe akzeptabel, Begehren ohne Liebe erschien ihr als eine Art von Vergewaltigung. *Mit seinen Händen, seinen Lippen, seinem Sexus, mit seinem ganzen Körper schenkte er mir sein Herz*, erinnert sich Anne der Liebesnächte mit Brogan. Als er später einmal mit ihr schläft, sie jedoch nicht mehr liebt, ist sie empört: *Plötzlich lag er auf mir, drang in mich ein und nahm mich ohne ein Wort, ohne einen Kuß... Eine verzwei-*

Simone mit ihrer Mutter, zur Zeit des Prix Goncourt (1954)

jähe Wut schnürte mir die Kehle zu. «Er hat kein Recht dazu», flüsterte ich. Nicht einen Augenblick hatte er mir seine Gegenwart geschenkt, er hatte mich als Maschine zur Lusterzeugung behandelt.[342]

Trotz negativer Bemerkungen der Kritik (auch den Stil der *Mandarins* fand man zu direkt und gewöhnlich, da die Autorin bewußt von jeder Belletristik abgesehen hatte und bemüht war, *der gesprochenen Sprache zu folgen*[343]) wurde der Roman Simone de Beauvoirs bis dahin größter Erfolg und trug ihr den angesehenen Literaturpreis, den Prix Goncourt, ein. Er wird auch derjenige bleiben, zu dem man zunächst greifen wird, wenn man ihr Romanschaffen kennenlernen und ein lebendiges Bild der Epoche des Existentialismus in Frankreich

Marquis de Sade. Gemälde von Man Ray

bekommen will. Hier gelang der Autorin etwas, was ihr bisher stets Schwierigkeiten gemacht hatte, nämlich Charakteren und Milieu Dichte und dem Ganzen epischen Atem zu geben. Wenn das Werk trotzdem nicht zu den ganz großen Romanen des 20. Jahrhunderts gehört, so hat das letztlich doch mit der von Simone de Beauvoir bewußt gewählten Konventionalität seiner Mittel zu tun, und vielleicht auch damit, daß es durch die traditionellen Vorstellungen entsprechende Rollenteilung (Henri–Anne) die Erfahrungen der Autorin nicht voll ausschöpfte. Immer noch ist es aber eines der interessantesten und lesenswertesten Nachkriegsbücher.

Schnell an den kommerziellen Erfolg der *Mandarins* anschließend brachte Gallimard gleich 1955 *Privilèges* [Privilegien], eine Sammlung von Aufsätzen, die in «Les Temps Modernes» erschienen waren, heraus. Der erste, *Faut-il brûler Sade?* [*Soll man de Sade verbrennen?*], der auch in deutscher Sprache zugänglich ist, entstand schon 1951, in einer Pause der Arbeit am Roman. Er bringt Literaturkritik in der Art, wie sie Sartre 1947 in seiner Studie über Baudelaire versucht hatte, eine Mischung aus Psychoanalyse und Gesellschaftskritik. Simone de Beauvoir hatte de Sade gewählt – sie war von Queneau eingeladen worden, über einen berühmten Schriftsteller, den sie aussuchen konnte, zu schreiben –, weil er für sie *in zugespitzter Form das Problem des «Anderen» darstellte: jenseits aller Überspanntheiten stehen der Mensch als Transzendenz und der Mensch als Objekt einander dramatisch gegenüber*[344]. Ihrer Interpretation nach revoltierte de Sade seit dem Skandal des Jahres 1763, der ihn ins Gefängnis brachte, bewußt – mit Hilfe der Literatur – gegen eine heuchlerische Gesellschaft, die sich einerseits auf die Natur als gut berufe, *während sie ihr in Wirklichkeit feindlich ist; andererseits hat sie trotz dieser der Natur erwiesenen Feindlichkeit in ihr ihre Wurzeln ... Die Behauptung, daß es ein gemeinsames Interesse gebe, läßt sich durch nichts in der Natur begründen ... Die Behauptung wurde lediglich aufgestellt, damit die Mächtigen einen natürlichen Trieb zu befriedigen vermochten, nämlich den Willen zur Macht. Anstatt die ursprüngliche Weltordnung zu verbessern, vermehren die Gesetze nur deren Ungerechtigkeit.*[345] Das sei die Botschaft Sades, des einzigen, der zu seiner Zeit wirklich *erkannt hat, daß die Sexualität* (also die Natur) *auch Egoismus, Tyrannei und Grausamkeit ist*[346]. Fanatisch habe er seine eigenen Neigungen zum Prinzip erhoben, um die absolute Vereinzelung des Menschen und die Unmöglichkeit einer allgemeinverbindlichen Moral zu beweisen: *Aus seiner Sexualität hat er eine Ethik gemacht, und diese Ethik hat er in einem literarischen Œuvre dargelegt. Durch diese wohlüberlegte Maßnahme als Erwachsener hat Sade seine eigentliche Originalität gewonnen.*[347] Freilich bedeutet die positive Interpretation, die Simone de Beauvoir de Sades Werken und Ideen zuteil werden läßt, keineswegs, daß sie mit der von ihm vorgeschlagenen Ethik einverstanden ist. Letzten Endes meint sie, sei de Sades individuelle Auflehnung gegen seine Gesellschaft ein Produkt dieser Gesellschaft, ein Privileg seiner Klasse, *ein Luxus, der Kultur, Muße und einen gewissen Abstand gegenüber den Bedürfnissen des Daseins voraussetzt*[348]. *Er kannte nur eine Alternative: entweder die abstrakte Moral oder das Verbrechen. Die Tat kannte er nicht.*[349]

Die zwei anderen Aufsätze in der Sammlung stammen aus dem Jahre 1955, das trotz dem persönlichen Erfolg der *Mandarins* die düsterste Zeit im Leben Simone de Beauvoirs einleitete, eine Zeit, in der sie sich im eigenen Land nicht nur isoliert, sondern richtiggehend «verbannt» zu fühlen begann, in der ihre Freude über die Niederlage der Franzosen

Bei den Proben zu «Nekrassow» von Sartre, 1955

1954 in Dien-Bien-Phu und ihre Haltung in dem kurz darauf beginnenden Algerien-Krieg – für ein freies Algerien, für die algerische FLN – als Verrat galten. Dieses absolute Gegen-den-Strom-Schwimmen fiel ihr trotz aller bisher am offiziellen Frankreich geübten Kritik äußerst schwer. Sie war stets auf eine fraglose, selbstverständliche Weise stolz darauf gewesen, Französin zu sein. Als sich aber der Algerien-Krieg hinzog, die Grausamkeiten der eigenen Armee wuchsen und die Bevölkerung gleichgültig oder pro Armee blieb, begann sie Frankreich zu hassen. *Meine Landsleute wurden mir unerträglich ... Ich hatte die Menschen so gern gemocht; jetzt waren mir sogar die Straßen feindlich. Ich fühlte mich genauso verstoßen wie in der ersten Zeit der Besetzung.*

Eigentlich war es noch schlimmer, weil ich wohl oder übel zur Komplicin jener Leute wurde, deren Nähe ich nicht mehr ertragen konnte. Das verzieh ich ihnen am wenigsten ... Ich brauchte meine Selbstachtung, um weiterleben zu können, aber ich sah mich mit den Augen der zwanzigmal vergewaltigten Frauen, der Männer mit den zerbrochenen Kno-

chen, der wahnsinnigen Kinder: eine Französin.[350] Sie, die die Faschisten so sehr gehaßt hatte, glaubte jetzt, daß ein Großteil ihrer Landsleute in dieselbe Richtung marschierte und sie mitschleifte.

Zu Beginn dieser für sie – und für Frankreich – so erschütternden Zeit hieß es zunächst wieder, die Fronten der Linken neu zu ziehen und *zwischen unseren wahren Bundesgenossen und unseren Gegnern zu unterscheiden*[351]. Diesem Zweck dienen nun die zwei polemischen Essays der *Privilegien*, *La Pensée de Droite, aujourd'hui* [*Das Denken der Rechten, heute*], der indirekt, indem er den Mangel an Ethik, Idealismus, Zielen unter den Rechten aufzeigt – das einzig Verbindende sei der Haß auf den Kommunismus –, die Rußland-freundliche Linke verteidigt, und *Merleau-Ponty – et le Pseudo-Sartrisme* [*Merleau-Ponty und der Pseudo-Sartre*], der sich gegen den alten Freund Merleau-Ponty und dessen Angriff auf Sartres «Ultrabolschewismus» richtet.

Am Ende stand der einfache, direkte Appell an ihre Landsleute, nein zu sagen zum Krieg, zur Folter, zur Herrschaft der Armee, durch eine in

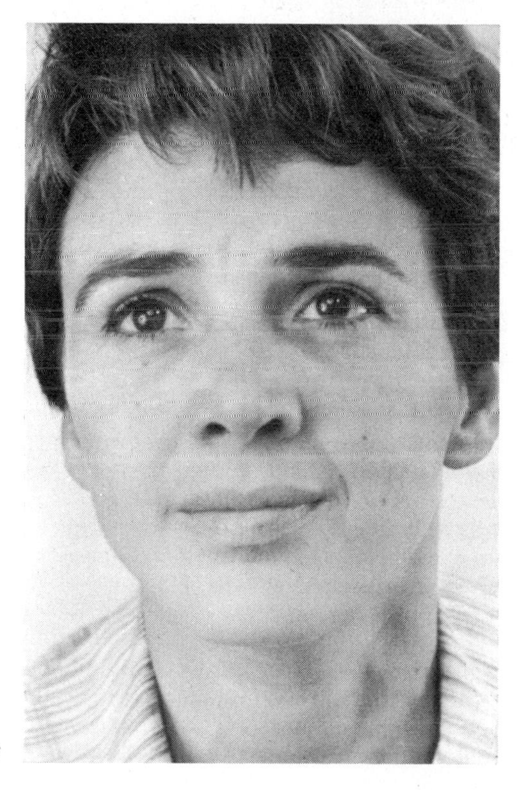

Gisèle Halimi

Simone de Beauvoir in ihrer Arbeitsecke, Rue Schoelcher, 1958

Zusammenarbeit mit der französischen Rechtsanwältin Gisèle Halimi herausgegebene Dokumentation über den Fall der Djamila Boupacha, einer FLN-Agentin, die von französischen Soldaten gefoltert und vergewaltigt worden war, um ein Geständnis zu erpressen, und die nur durch die Energie ihrer Verteidigerinnen Halimi und de Beauvoir, die eine Pressekampagne starteten, davor gerettet wurde, wie so viele in der Mühle einer vom Krieg korrumpierten Justiz unterzugehen. Wenn der Leser nicht seinen Schmerz über das Warschauer Getto und den Tod der Anne Frank verleugnen wolle, dann habe er keine Wahl, als den Krieg und alle, die ihn führten, abzulehnen, schreibt Simone de Beauvoir in ihrem Vorwort. Als das Buch 1962 erschien war es nur noch Erinnerung, der Évian-Vertrag war unterzeichnet, Djamala und ihre Folterer waren amnestiert.

Zwischen diesen Arbeiten lag eine regere tagespolitische Tätigkeit als je zuvor. Simone de Beauvoir fuhr zu Kongressen, nahm an Wahlversammlungen teil, marschierte in Demonstrationen. Je skeptischer sie wurde gegenüber dem allgemeinen sozialen Fortschritt und den Möglichkeiten des Intellektuellen, in großen Fragen etwas zu verändern, desto mehr war sie bereit, im kleinen, für einen konkreten Fall, ihren Namen und ihre Energien einzusetzen.

So sehr sie aber auch leidenden und aktiven Anteil am Zeitgeschehen nahm, zwischen 1956 und 1963 gehörte ihre Hauptarbeit der Verwirklichung eines langgehegten Traums: ihrer Autobiographie. Der Wunsch, ihr Leben mitgeteilt zu sehen, lag ihrer ganzen Schriftstellerkarriere zugrunde. *Mit fünfzehn Jahren*, schreibt sie, *wünschte ich*

Tribunal über die amerikanische Intervention in Vietnam. Sartre und Simone de Beauvoir treffen am 30. April 1967 in Stockholm ein. Links: Vladimir Dedijer, der Vertreter Jugoslawiens

mir, daß die Leute eines Tages meine Biographie mit gerührter Neugier lesen würden. Diese Hoffnung war es, die in mir den Wunsch weckte, eine «bekannte Autorin» zu werden.[352] In all ihren Werken hatte sie immer wieder sich selbst dargestellt. Sie wollte, *daß die Menschen mir zuhören und daß ich ihnen einen Dienst erweise, indem ich ihnen die Welt so zeige, wie ich sie sehe.*[353] In den Essays hatte sie die Möglichkeit gesucht, ihre Erkenntnisse, ihre Meinungen scharf und klar zu vertreten, in den Romanen hatte sie die Zweideutigkeit der Existenz einfangen wollen; in den Memoiren aber wünschte sie jetzt, *das Geschehen in seiner Willkür, seinen Zufällen, seinen zuweilen ungereimten Kombinationen* so darzustellen, *wie es der Wirklichkeit entspricht. Diese Treue gibt deutlicher als die geschickteste Transponierung zu verstehen, wie die Dinge auf den Menschen zukommen.*[354]

Sie fiel Simone de Beauvoir keineswegs leicht. Gerade in bezug auf ihre Memoiren spricht die Autorin wiederholt von einem *Schöpfungsakt*, der sie äußerst anstrengte, aber auch zutiefst befriedigte, die einzige Barriere gegen das Alter und den Tod, die ihr nach der Trennung von Claude Lanzmann im Jahre 1958 noch blieb. *Die schöpferische Tätigkeit ist Abenteuer, ist Jugend und Freiheit*[355], schreibt sie, und empfand dies nie so intensiv wie bei der Nachschöpfung ihres eigenen Lebens.

In den Memoiren – während der eben besprochenen Zeitspanne entstanden drei dicke Bände, *Mémoires d'une jeune fille rangée* (1958; *Eine Tochter aus gutem Hause*), *La Force de l'âge* (1960; *In den besten Jahren*) und *La Force des choses* (1963; *Der Lauf der Dinge*) – zeigt Simone de Beauvoir jene *positive Heldin*, die wir in den Romanen vermissen, eine Frau, die sich bemühte, aktiv ihr Leben zu bestimmen, und nicht nur in der Liebe, sondern auch in einem Beruf Glück und Sinn ihres Daseins suchte – und fand. *Der Lauf der Dinge* endet zwar, wie bereits erwähnt, in einem sehr düsteren Ton, doch war dieser zu einem so großen Teil von den Zeitereignissen mitbestimmt, daß die Autorin 1972 einen vierten Band Memoiren *Tout compte fait* [*Alles in allem*] hinzufügte und noch einmal, positiver, Bilanz zog. *Im Ganzen betrachtet*, schreibt sie darin, *stand mein Geschick unter einem glücklichen Stern.*[356]

Sie ist zufrieden mit ihrem Leben und mit ihrer Arbeit: *Ich bin keine virtuose Schriftstellerin gewesen*, erkennt sie. *Ich habe nicht – wie Virginia Woolf, wie Proust oder wie Joyce – das schillernde Spiel der Empfindungen wieder zum Leben erweckt und die Außenwelt in Worten eingefangen. Aber das ist auch nicht meine Absicht gewesen. Ich wollte mich existent machen für die anderen, indem ich ihnen auf die unmittelbarste Weise mitteilte, wie ich mein eigenes Leben empfand: das ist mir in etwa geglückt . . . Nichts anderes wünschte ich mir.*[357] Und die Memoiren, können wir dieser im Grunde richtigen Selbsteinschätzung hinzufügen, tragen nicht unwesentlich zum Gelingen bei.

Von den vier Bänden ist der erste entschieden der beste; straff durchkomponiert, erzählt er, kontrapunktisch mit dem Schicksal der Jugendfreundin Zaza, die eigene Emanzipation. In den zwei letzten dagegen wuchern die Details, Bücher, die die Autorin gelesen, Filme, die sie gesehen, Träume, die sie gehabt, alles wird genannt, nichts, so scheint es, ausgelassen. Die Kritik hat Simone de Beauvoir diese Ausführlichkeit natürlich vorgeworfen, man hat sie auch der Neigung zur Trivialität, zum Tratsch, zur Lehrhaftigkeit bezichtigt, ihr Rechthaberei, Intoleranz, Verfälschungen, Humorlosigkeit angekreidet. Für alle diese Punkte kann man in den Tausenden von Seiten, die die Erinnerungen umfassen, Belege finden. Trotzdem sind die Memoiren, vor allem die ersten drei Bände, ein bedeutendes Dokument und eine faszinierende Lektüre. Eine Frau hat hier den Mut und die Energie, sich und ihr Verhältnis zur Welt wichtiger als alles andere zu nehmen und als Frau darauf zu bestehen, nicht nur Gefühle, sondern auch Meinungen und Urteile zu haben.

Am Schreibtisch,
beim Redigieren der «Memoiren», 1959

Die Frau

Aus allem, was Simone de Beauvoir in ihren Erinnerungen erzählt und in ihren Romanen darstellt, geht deutlich hervor, daß sie sich selbst als «Ausnahmefrau» sah und sehen wollte: *Weit davon entfernt, unter meiner Weiblichkeit zu leiden, habe ich eher von meinem zwanzigsten Lebensjahr an die Vorteile beider Geschlechter genossen.*[358] Sie legte, allerdings sporadisch, Wert auf ihr Äußeres und trug oft betont feminine Kleider, bestand dabei stets auf ihrer eigenen Leistung und freute sich, *daß mich meine Umgebung gleichzeitig als einen Schriftsteller und als eine Frau*[359] behandelte. *Es war aber gerade diese bevorzugte Stellung*, erklärte sie, *die mich ermutigte, Le Deuxième Sexe zu schreiben.*[360] Das Thema betraf sie persönlich, andererseits hatte sie selbst nicht unter der Herrschaft der Männer gelitten und konnte daher sowohl den Haß als auch die Komplicenschaft des Opfers vermeiden. Sie glaubte, *die Frauen mit unvoreingenommenem Blick zu betrachten*[361], dieser Blick geriet ihr jedoch – eben weil sie die Schicksale ihrer Geschlechtsgenossinnen nicht geteilt, wohl aber gefürchtet hatte – so kalt, daß man ihr Misogynismus vorgeworfen hat.[362]

Wenn wir nun auf die Ideen Simone de Beauvoirs zur «Frauenfrage» im *Anderen Geschlecht* und später eingehen, so müssen wir uns zunächst an die Entstehungszeit des Buches erinnern, die bis in den Oktober 1946 zurückgeht. *Für eine Moral der Doppelsinnigkeit* war gerade fertig, eine Ethik des Handelns definiert worden. Der Essay über die Frau schließt nun direkt an die philosophischen Anschauungen dieser Jahre an, was die Lektüre für den in den Existentialismus Nichteingeweihten zwar erschwert, dem Werk dafür aber eine klare weltanschauliche Position und Dimension gibt, die späteren Arbeiten des Feminismus fehlt. *Unsere Perspektive*, erklärt Simone de Beauvoir in der Einleitung sofort, *ist die der existentialistischen Ethik.*[363] Wie wir gesehen haben, sind in dieser Ethik Stillhalten, Passivität, bloßes Ansichsein *ein absolutes Übel*[364]. Aber gerade diese Rolle sei der Frau von den Männern aufgezwungen worden, sie habe *sich als das Andere zu sehen: man bemüht sich, sie zu einem Ding erstarren zu lassen und sie zur Immanenz zu verurteilen, da ja ihre Transzendenz unaufhörlich von einem anderen essentiellen und souveränen Bewußtsein* (dem des Mannes) *überstiegen wird*[365].

Daß ein Bewußtsein sich selbst als wesentlich und das andere als das Unwesentliche setzt, ist nun, wie wir wissen, eine der Grundlagen des Existentialismus, sozusagen also selbstverständlich. Keineswegs selbstverständlich aber ist es in Simone de Beauvoirs Augen, daß die Frau historisch und kollektiv darauf verzichtet hat, dem männlichen Souveränitätsanspruch einen weiblichen entgegenzusetzen.

Im ersten großen Abschnitt ihres Buches, den sie *Fakten und Mythen* nennt, fragt sie sich nun zunächst nach den Gründen dafür. Sie analysiert die bekannten Erklärungen, aus der Biologie, aus der Psychoanalyse, aus dem historischen Materialismus, und lehnt sie als falsch oder ungenügend ab. Die größere Körperkraft des Mannes erkläre noch lange nicht, warum es ihm gelungen sei, die Frau zu beherrschen, denn beim Menschen bekämen *die biologischen Gegebenheiten den Wert, den der Existierende ihnen gibt*[366]. Freuds Standpunkt ist ihr ebenfalls zu deterministisch, außerdem findet Simone de Beauvoir, wie der Großteil der Feministinnen nach ihr, daß er seiner Beschreibung der weiblichen Psyche *einfach das männliche Modell zugrunde gelegt hat*[367]. Während sie Freud des *sexuellen Monismus* beschuldigt, wirft sie Engels und seinem «Ursprung der Familie» *wirtschaftlichen Monismus* vor.[368] Trotzdem meint sie, daß der historische Materialismus *sehr wichtige Wahrheiten an den Tag gebracht* habe[369], da die Situation der Frau wesentlich von der jeweiligen wirtschaftlichen Struktur der Gesellschaft abhänge. Doch erkläre Engels nicht wirklich, *warum das Privateigentum notwendig die Versklavung der Frau zur Folge haben soll*[370]. Hier setzt sie nun mit ihrer eigenen, existentiellen Deutung ein, die allein begreiflich machen könne, wie *die Hierarchie der Geschlechter* zustande gekommen sei.

Die Welt hat immer den Männern gehört[371], meint sie, weil in den nomadischen Urzeiten, in denen sich der Mann als homo faber entwikkelt habe, die Frau durch die damals besonders schwere und wenig angesehene biologische Aufgabe der Mutterschaft zurückgehalten worden sei. Während der Mann durch Handlungen, die *über sein tierisches Dasein hinausgehen*, die Gemeinschaft ernährt habe – *als Jäger und Fischer erfindet er Werkzeuge, setzt Ziele, plant Wege . . . er verwirklicht seine Existenz. Um zu erhalten schafft er; er überschreitet die Gegenwart und eröffnet die Zukunft*[372] –, sei die Frau durch ihre reproduktive Funktion der Immanenz verhaftet geblieben. *Die bei der Zeugung mitwirkende Frau*, schreibt Simone de Beauvoir in einer radikalen, jedoch mit ihrer uns bereits bekannten Ethik der Freiheit und des Handelns völlig in Einklang stehenden Entwertung des Gebärens und der Mutterschaft, die *Das andere Geschlecht* wie ein Leitmotiv durchzieht, *kennt noch nicht den Stolz des Schöpfertums; sie empfindet sich passiv als Spielball dunkler Kräfte . . . Auf alle Fälle sind Gebären und Stillen keine Aktivitäten, sondern natürliche Funktionen, kein Entwurf*

ist dabei im Spiel, und daher kann auch die Frau darin keinen Grund einer hochgestimmten Bejahung ihrer Existenz finden. Die häuslichen Tätigkeiten, denen sie sich widmet, da nur diese mit den Lasten der Mutterschaft sich vereinigen lassen, beschränken sie auf Wiederholung ... Tag für Tag kehren sie in gleicher Form wieder, die fast unverändert die Jahrhunderte überdauert; es geht nichts Neues aus ihnen hervor.[373]

Nicht weil die Frau physisch schwächer war als der Mann, konnte er ursprünglich die Herrschaft über sie erlangen, sondern weil es zum Wesen des Menschen gehöre, daß er *mehr* sei *als nur Gattung*: *Das Unglück der Frau ist, daß sie biologisch für die bloße Fortsetzung des Lebens vorbestimmt ist, während auch in ihren Augen das Leben seine Daseinsberechtigung nicht in sich selber trägt, diese aber mehr Wert hat als das Leben selbst.*[374] Deshalb habe die Frau auch in der nomadischen Urzeit die Vormachtstellung des Mannes akzeptiert. Durch die Jahrtausende habe der Mann diese Vormachtstellung dann nicht mehr aufgegeben – nie, so meint Simone de Beauvoir, habe es wirklich *ein goldenes Zeitalter der Frau* gegeben, *die politische Macht hat immer in den Händen der Männer gelegen*[375]. Durch die Bildung von Institutionen und Mythen habe der Mann seine Herrschaft nur immer mehr gefestigt.

In dem bei weitem umfangreicheren Teil des ersten Buches des *Anderen Geschlechts* werden diese Mythen nun an Hand vieler Beispiele aus Literatur und Kultur analysiert. *Er ist so schillernd, so widerspruchsvoll,* sagt die Autorin allgemein vom Mythos der Frau, wie ihn die Männer für ihre Zwecke geschaffen haben, *daß man zunächst die Einheit nicht sieht: als Dalila und Judith, Aspasia und Lucretia, Pandora und Athene ist die Frau immer Eva und Jungfrau Maria zugleich. Sie ist Idol und Magd, Quell des Lebens und Macht der Finsternis; sie ist das urhafte Schweigen der Wahrheit selbst und dabei unecht, geschwätzig, verlogen; sie ist Hexe und Heilende; sie ist die Beute des Mannes und seine Verderberin, sie ist alles, was er nicht ist und was er haben will, seine Verneinung und sein Daseinsgrund*[376], das Andere schlechthin. Die Widersprüche seien das Konstante im Bild des Mannes von der Frau, weil er sie *zum verkleinerten Abbild*[377] der Natur gemacht und seine Ängste und Hoffnungen vis à vis der Natur auf sie als Mittlerin projiziert habe. Einerseits verehre der Mann in der Natur und der Frau den Ursprung alles Lebens, andererseits lehne er sich *gegen seine Lage als Körperwesen* auf; er *betrachtet sich als einen gefallenen Gott: sein Fluch ist es, daß er aus einem strahlenden und geordneten Himmel in das chaotische Dunkel des Mutterleibs hinabgestürzt ist. Das Feuer, der tätige reine Hauch, in dem er sich wiedererkennen möchte, ist durch die Frau dem Schmutz der Erde verhaftet. Er ... findet sich eingeschlossen in einem begrenzten Leib, an einem Ort und in einer Zeit, die er sich nicht gewählt, in die ihn nichts berufen hat, unnütz, lästig und ohne Sinn. Die Zufälligkeit des Fleischlichen ist die seines eigenen Seins, das er in seiner Verlassenheit, seiner ungerechtfertigten Willkür hinnehmen muß. Sie bestimmt ihn auch für den Tod. Die wabernde, gallertartige Masse, die sich in der Gebärmutter bildet . . . erinnert zu sehr an die weiche Schlaffheit der Verwesung, als daß er sich nicht mit Schaudern abwenden müßte . . . Weil es dem Menschen vor der Willkür und dem Tod graust, graust es ihm auch davor, daß er erzeugt worden ist; er möchte seinen tierischen Ursprung verleugnen.*[378]

Man hat Simone de Beauvoir nun vorgeworfen, daß sie ihren eigenen jansenistischen Widerwillen vor der Körperlichkeit dem Mann einfach unterschoben habe.[379] Und in der Tat bringt der zweite Teil des *Anderen Geschlechts*, der *Gelebte Erfahrung* überschrieben ist und das Dasein der Frau in der modernen Gesellschaft, in Kindheit, Jugend, Liebe, Ehe, Mutterschaft behandelt, eine radikale Demystifizierung aller der Frau durch ihre Physiologie zuteil werdenden Erlebnisse. Menstruation, Liebesakt, Schwanger- und Mutterschaft, Altern werden unter Berufung auf zahllose Beispiele und Aussagen als im großen und ganzen unerfreulich und demütigend dargestellt. Es geht Simone de Beauvoir jedoch nicht darum, die Frau von ihrem oder irgendeinem anderen Standpunkt aus herabzusetzen, sondern sie möchte beweisen, daß sie aus ihrer vom Mann sowohl geforderten als auch gefürchteten Naturnähe wenig Befriedigung schöpft und schöpfen kann, weil diese eine radikale Beschränkung ihres menschlichen Potentials darstellt. Der Mensch könne zwar seinen Körper weder verleugnen noch ignorieren, werde aber in seiner existentiellen Freiheit nicht von ihm bestimmt, weder der Mann noch die Frau. Darauf bezieht sich denn auch der berühmte Aphorismus Simone de Beauvoirs: *Man kommt nicht als Frau zur Welt, man wird es.*[380] Nicht das biologische Geschlecht hat das Wesen der Frau durch die Jahrtausende bestimmt, sondern nur die ausschließliche Herrschaft, die sie ihm in grauer Vorzeit einmal einräumen mußte und die von den Männern in deren Interesse perpetuiert wurde. Das muß jedoch nicht so weitergehen. *Die Frau*, so erklärt sie abschließend, *ist nicht das Opfer eines geheimnisvollen, unabwendbaren Schicksals*[381], sondern nur einer sehr konkreten und änderbaren Situation. Optimistisch meint sie am Ende ihres Buchs, daß die Frau *binnen längerer oder kürzerer Zeit eine vollkommene wirtschaftliche und soziale Gleichheit erlangen werde, was eine innere Umwandlung nach sich ziehen wird*[382]. Die Inferiorität der Frau – eine solche läßt sich in Simone de Beauvoirs Augen nicht leugnen, auch wenn es der Frau «dank» ihrer Unterdrückung gelungen sei, gewisse Fehler der Männer, *jene Welt der Zeremonien, absurden Gesten, ziellosen Verhaltensweisen*, zu vermeiden – würde aufhören, und mit ihr der Kampf der Geschlechter: *Die Tatsache des Menschseins ist unendlich viel wichtiger als alle*

Besonderheiten, die Menschenwesen auszeichnen ... In beiden Geschlechtern spielt sich dasselbe Drama von Körper und Geist, von Endlichkeit und Transzendenz ab. An beiden nagt die Zeit, beiden lauert der Tod auf, sie sind beide gleich aufeinander angewiesen. Und ihre Freiheit kann zu gleichem Ruhm führen. Wenn sie sie zu kosten verständen, fühlten sie sich nicht mehr versucht, sich um trügerische Vorrechte zu streiten. Und dann könnte die Brüderlichkeit zwischen ihnen entstehen.[383]

Es ist ein versöhnlicher und idealistischer Abschluß. *Le Deuxième Sexe mag für militante Feministen von Nutzen sein, doch ist es nicht eigentlich ein militantes Buch*[384], sagte Simone de Beauvoir selbst später über ihr Werk. Zur Zeit, als sie es schrieb, und auch noch zwölf Jahre später, als sie in den frühen sechziger Jahren darauf zurückblickte, war sie keine Frauenrechtlerin. Wenn sie auch 1963 nicht mehr so optimistisch in bezug auf die kommende Gleichberechtigung war wie 1949, so meinte sie nun: *Die Lage der Frau ... wird nur um den Preis einer Umwälzung der gesamten Produktion wirklich zu ändern sein.*[385] Daher schien es ihr wichtiger, allgemein für eine neue Gesellschaftsordnung einzutreten. Erst 1970 änderte sie ihre Einstellung: *Heute verstehe ich unter Feminismus, daß man für die speziellen Forderungen der Frau kämpft – parallel zum Klassenkampf – und bezeichne mich selbst als Feministin. Nein, wir* (diese Änderung des Pronomens ist symptomatisch, im *Anderen Geschlecht* heißt es immer sie – die Frau) *haben die Partie nicht gewonnen, in Wirklichkeit haben wir seit 1950 so gut wie nichts erreicht. Die soziale Revolution wird nicht genügen, um unsere Probleme zu lösen.*[386] Denn auch in den kommunistischen Ländern hatte sie gefunden, daß die Frau zwar etwas besser-, aber keineswegs gleichgestellt war.

Seit 1970 stand Simone de Beauvoir der Frauenbewegung, die sich in den USA, nicht zuletzt im Widerhall der dort sogleich erfolgreichen Übersetzung ihres Buches, gebildet hatte und sich dann auch in Europa verbreitete, wie sie es ausdrückt, *zur Verfügung*. 1971 unterschrieb sie im Kampf um ein neues Abtreibungsgesetz in Frankreich zusammen mit anderen prominenten Frauen eine öffentliche Erklärung *J'ai avortée* [Ich habe abgetrieben], bei den «Temps Modernes» redigierte sie eine Seite *über den alltäglichen Sexismus*; sie war Präsidentin der Liga für Frauenrechte und unterstützte die Versuche, Häuser für mißhandelte Frauen zu gründen.

Innerhalb des Feminismus vertrat sie im *Anderen Geschlecht* und später eine «kooperative» Variante. Wir haben gesehen, daß sie nicht an naturgegebene, spezifisch feminine Eigenschaften, Werte oder Lebensweisen glaubte: *Es geht für die Frau nicht darum, sich als Frau zu bestätigen*, schrieb sie in *Alles in allem, sondern als «ganzes», «vollständiges» menschliches Wesen anerkannt zu werden.*[387] Da diese Vollständigkeit bisher den Männern vorbehalten gewesen sei, repräsentierten ihre Werte und ihre Errungenschaften Allgemeingültiges. Es wäre «unsinnig» für die Frau, die bisher vom Mann geschaffene Welt der Kultur, der Technik, der Naturwissenschaft, zu negieren. Die Frauen müßten jedoch bei allem, was sie von den Männern übernähmen, *wachsam unterscheiden zwischen dem, was wirklich allgemein gültig ist, und dem, was den Stempel ihrer betont maskulinen Einstellung trägt*[388]. Simone de Beauvoir war gegen jenen Feminismus, der eine radikale Trennung zwischen Männern und Frauen fordert und auch im Sexualleben ohne die Männer auskommen möchte. *Ich bin eine absolute Gegnerin der Idee, die Frau in ein Weibergetto einzusperren*[389], doch, so erklärte sie in einem Interview mit der deutschen Frauenrechtlerin Alice Schwarzer für den «Spiegel», verstehe sie das heutige Mißtrauen der Frauen gegen die Männer sehr gut, auch die Sexualität könne *eine ziemlich schreckliche Falle* sein. Sie riet der Frau entschieden, sich *vor der Falle der Mutterschaft und Heirat* zu hüten.[390] Denn nur so könne sie sich einen Platz in der Welt erobern. Sie meinte zwar, nicht gegen die Mutterschaft an und für sich zu sein, sondern nur gegen die Ideologie, die von allen Frauen verlange, Mutter zu werden, und gegen die Umstände, unter denen Frauen *Mutter sein müssen*, war jedoch grundsätzlich der Ansicht, daß Mutterschaft und ein aktives, beruflich und politisch verantwortliches Leben und damit wirkliche Freiheit und Menschenwürde für die Frau sich kaum verbinden ließen, zum Teil wohl deshalb, weil ihre Vorstellungen von den allesverschlingenden Anforderungen der Kindererziehung durch die eigenen Erfahrungen im Bürgertum ihrer Zeit geprägt und durch die psychoanalytische Betonung der frühen Kindheit und der darin erfahrenen Aufmerksamkeit noch bestärkt wurden. Deshalb sind auch ihre Bemerkungen zu dieser gesellschaftlich so wichtigen Frage unbefriedigend und summarisch. Im Grunde schien sie zu denken, daß es immer Frauen geben werde, die sich als «relative Wesen» und Mütter wählen würden. Daß Mutterschaft und Kindererziehung etwas Schöpferisches sein könnten, diese Idee paßte, wie wir gesehen haben, weder zur Ethik Simone de Beauvoirs noch zur Polemik ihres Buches.

Als *Das andere Geschlecht* 1949 erschien, war es der Zeit weit voraus. In dem Wunsch nach «Normalität», der nach dem Zweiten Weltkrieg der westlichen Welt sehr schnell ein konservatives Gepräge gab, bestand man mit größter Dringlichkeit auf den traditionellen Rollen der Frau als Gattin und Mutter. Deshalb stieß es auch auf heftige und oft ausfällige Kritik. Mit den Jahren aber wurde es dasjenige Werk Simone de Beauvoirs, das mehr als jedes andere den Wunsch des jungen Mädchens, mit ihren Worten Widerhall zu finden, und den der erwachsenen Autorin, mit ihren Büchern anderen einen Dienst zu erweisen, erfüllt hat.

(Malgré insuffisances, obstructions, [illegible])

Voilà des années qu'en France les femmes réclament ~~par la grève~~ le droit de disposer librement de leur corps. Leur revendication (en grande partie prise dans les activités du MLAC) a fini par être entendue. En dépit de nombreuses restrictions et réticences, la loi Simone Veil reconnaît ce droit aux femmes théoriquement. Pratiquement il leur est encore dénié puisque dans ce pays où on compte chaque année 800 000 avortements, les législations n'en reconnaissent que 65.000. C'est le passage d'une abstraite théorie à une pratique concrète que les militantes du MLAC sont contraintes d'effectuer. Même dans les hôpitaux qui, comme [illegible] [illegible] [illegible] appliquer la loi les femmes qui veulent interrompre leur grossesse sont accueillies avec [illegible]; on leur inflige une anesthésie générale qui les transforme en objet; [illegible] retards administratifs [illegible]

Manuskriptseite eines Artikels aus dem Jahre 1977

Das Alter

Simone de Beauvoirs Vorstellungen von der Mutterschaft und von der Frau überhaupt waren von ihrer eigenen Mutter und dem Verhältnis, das sie zu ihr hatte, zuerst so zärtlich, dann so ablehnend, wesentlich beeinflußt. 1963 erkrankte Madame de Beauvoir an Krebs, an dem zu sterben sie immer gefürchtet hatte. Ihre Töchter brachten sie in eine Privatklinik, wo sie, umgeben von Komfort und modernster medizinischer Technik, im Unwissen über ihren wahren Zustand, vor den Augen ihrer Kinder, die abwechselnd bei ihr wachten, einen kurzen, hartnäckigen Kampf gegen das Sterben führte. «Ein sanfter Tod», sagte die Krankenschwester über ihr für Simone de Beauvoir furchtbares Ende. *Une Morte très douce* (1964; *Ein sanfter Tod*) ist auch der Titel des kleinen Buches, in dem die Autorin knapp, mit klinischer Genauigkeit, das Leiden der Mutter, die unnachgiebige Lebensgier und die physische Auflösung der alten Frau beschreibt. Sartre hielt es für ihr bestes Werk. Neben der steigenden Intensität des Todeskampfes steht der letzte Akt im Drama einer schwierigen und doch nicht untypischen Mutter–Tochter-Beziehung, in der tiefe Ähnlichkeiten und grundlegende Gegensätze gleichermaßen zur Entfremdung beigetragen hatten, einer Entfremdung, über die weder die Not der Sterbenden noch die Fürsorge der Lebenden hinwegführen konnten. Simone de Beauvoir erzählt mit schonungsloser Offenheit, gegen sich und gegen die Mutter, der sie auch im Sterben nicht verzeihen kann, daß sie eine Vertreterin der Bourgeoisie ist. Ein kalter Hauch des Todes und der Einsamkeit liegt über dem ganzen Buch und macht es zur tief bewegenden Lektüre. *Warum hat der Tod meiner Mutter mich so heftig erschüttert?*[391] fragt sich Simone de Beauvoir gegen Ende ihres Berichts. Die Antwort liegt in dem Buch selbst, es war eine Konfrontation mit der eigenen Vergänglichkeit, in jener Frau, die sie geboren hatte, die einen Teil von ihr selbst mit sich nahm.

Nach dieser direkten Konfrontation wandte die Autorin ihre Energie nun ganz dem *Stück Weg* zu, das ihr noch blieb, dem Alter. Schon am Ende von *Der Lauf der Dinge* hatte die Klage über das Altern – *Ich hasse mein Spiegelbild*[392] *... Das Sterben hat schon begonnen. Das hatte ich nicht vorausgesehen – daß es so früh beginnt und daß es so weh* *tut*[393] . . . *Jetzt ist der Augenblick gekommen, um zu sagen: Nie mehr*[394] – den letzten Seiten besondere, tiefe Resonanz gegeben. Altern stellte ja das ganze Existenzgefühl Simone de Beauvoirs in Frage; sie hatte stets voll Zukunftshoffnung und Lebensfreude auf die Welt geblickt, nun war die Zukunft zusammengeschrumpft, die Freude verblaßt. Es gelang ihr zwar, sich im Alter *einzurichten,* freilich ohne *es innerlich ganz zu realisieren*[395], indem sie sich immer wieder aktiv an der Gegenwart beteiligte, sich für die Frauenbewegung, für den Maiaufstand des Jahres 1968 und viele andere soziale Erneuerungsbestrebungen einsetzte und an der Seite der Jugend, die ihr die Zukunft verkörperte, marschierte und demonstrierte. Vor allem aber versuchte sie, sich mit dem Alter selbst auseinanderzusetzen.

Der Roman *Les Belles Images* [*Die Welt der schönen Bilder*], der 1966 herauskam, scheint darin zunächst eine Ausnahme. Verhältnismäßig kurz, versucht er ein neues, für Simone de Beauvoir ungewöhnliches Milieu zu behandeln, die wohlhabende, konsumversessene Pariser Gesellschaft der unmittelbaren Gegenwart. Die Heldin Laurence hat alles, was man sich in diesen Kreisen wünschen kann, einen erfolgreichen Mann, zwei nette Kinder, einen interessanten Beruf bei einer Werbeagentur und einen Liebhaber, der sie anbetet. Aber das plötzliche Erschrecken ihrer sorgsam behüteten Tochter über das Leid anderer läßt sie erkennen, wie leer ihre Welt, eine Welt der schönen Bilder, ist. Für sich selbst hofft sie nicht mehr daraus zu entkommen, für ihre Tochter aber wird sie kämpfen: *Ich lasse nicht zu, daß man ihr antut, was man mir angetan hat. Was hat man aus mir gemacht? Diese Frau, die niemanden liebt, die für die Schönheiten der Welt unempfänglich ist, die nicht einmal weinen kann, diese Frau, die ich auskotze. Catherine: im Gegenteil, man muß ihr die Augen sofort öffnen, vielleicht dringt dann ein Lichtstrahl zu ihr, vielleicht findet sie einen Ausweg . . . Woraus? aus dieser Nacht. Aus der Unkenntnis, der Gleichgültigkeit.*[396] Neben dieser Handlung, in der es, ungewöhnlich für die Romane Simone de Beauvoirs, um die Zukunft eines Kindes geht, gibt es aber die für das kleine Werk verhältnismäßig breit entworfenen Gestalten der Eltern von Laurence. Die Mutter Dominique, eine berechnende Karrierefrau, wird von ihrem reichen Liebhaber nach sieben Jahren plötzlich verlassen. Ihre mühsam erkämpfte Stellung in der Gesellschaft zerfällt. *Gesellschaftlich gilt eine Frau nichts ohne einen Mann.*[397] Sie wird das Opfer der neuen Bourgeoisie, zu deren Vertretern sie sich so stolz gezählt hatte, die jedoch eine alternde Frau ebenso leicht ablegt wie den Mantel vom Vorjahr. Der Vater repräsentiert das traditionelle alte Bürgertum. Er erscheint sympathischer, weil er sich nichts aus äußerem Erfolg und materiellem Konsum macht, aber im Grunde ist auch er ein alternder, leerer Egoist, der seine geistige Kultur nur benutzt, um sich *eine Art von Gewissensruhe zu verschaffen, die er der*

Sartre und Simone de Beauvoir beim Verkauf einer verbotenen Zeitung

Wahrheit vorzieht[398]. Er und seine ehemalige Frau sind die interessantesten, gelungensten Figuren des Romans, dessen klischeehafte Sprache ganz das Milieu der Charaktere spiegeln soll. Simone de Beauvoir erwartete vom Leser, daß er sich weder mit dem Stil noch mit den Figuren ihrer Geschichte identifizieren würde.

In ihrer nächsten Arbeit, drei Erzählungen von Frauen über vierzig, *La Femme rompue* (1967; *Eine gebrochene Frau*), führte sie das mit den Eltern der Laurence angeschlagene Thema, das auch in den *Mandarins* schon mitgespielt hatte, das Versagen und die Einsamkeit unter den Alternden, vor allem den Frauen, weiter. Aus der Perspektive der

Heldin wird jeweils eine Krise, die durch die Drohung oder die Tatsache des Verlassenwerdens ausgelöst wurde, dargestellt. Nur einer der Frauen, derjenigen, die sich (in *Das Alter der Vernunft*) ehrlich ihrer Situation stellt, gelingt es, zu einer gewissen Resignation an der Seite ihres ebenfalls alt werdenden Gefährten zu finden. Die anderen (in *Monolog* und *Eine gebrochene Frau*) flüchten sich in ein Gespinst aus Selbsttäuschung und Lüge, das – wie Simone de Beauvoir immer wieder zu zeigen versucht – für das Altwerden in den privilegierten Schichten, besonders unter den Frauen, charakteristisch ist.

Nach diesen Bemühungen, das Alter in der Einbildungskraft zu umkreisen, wandte sich die Autorin erneut dem Essay zu. 1970 erschien ihr umfangreiches, auf eifrige Forschung in der Bibliothèque Nationale zurückgehendes Werk *La Vieillesse* [*Das Alter*]. *Auch in diesem Fall hat mich in erster Linie die Idee einer Entmystifizierung verlockt*, sagt sie über die Gründe für ihre Themenwahl. *Doch wenn ich mich wirklich entschlossen habe, so deshalb, weil ich das Bedürfnis*

Auf dem Weg zum Gerichtshof, wo der Prozeß um die linksextreme Zeitung «La Cause du Peuple» stattfand, 27. Mai 1970

verspürte, meine eigene Situation unter ihrem allgemeinen Aspekt kennenzulernen. Als Frau wollte ich speziell die Situation der Frau erhellen; selbst an der Schwelle des Alters stehend, hatte ich Lust, zu wissen, wie die Situation des alten Menschen genau aussieht.[399]

Das Buch folgt dem Muster des *Anderen Geschlechts*. Im ersten Teil, *Von außen betrachtet*, untersucht es, was die Biologie, die Anthropologie, die Geschichte, die Soziologie über das Alter lehren. Im zweiten geht es wieder auf die gelebte Erfahrung ein, für die es aus der Literaturgeschichte faszinierende Zeugnisse über individuelle Konfrontationen mit dem Alter beibringt. Der Essay will vor allem mit dem Tabu aufräumen, das auf dem Alter liegt, und soziale Mißstände in Frankreich anprangern. Er findet keine Lösung für das Problem des Alters, wie könnte er auch, hat aber zwei wichtige Vorschläge, um die Situation für die Alten erträglicher zu machen; der eine ist individuell-existentialistisch, der andere sozialpolitisch. *Wollen wir vermeiden, daß das Alter zu einer spöttischen Parodie unserer früheren Existenz wird, so gibt es nur eine einzige Lösung, nämlich Ziele zu verfolgen . . . das hingebungs-*

1975

Simone de Beauvoir

volle Tätigsein für einzelne, für Gruppen oder für eine Sache...[400] Aber da diese Möglichkeiten höchstens den Privilegierten geboten werden, müsse die Gesellschaft die Lage der armen Alten zuerst verbessern: *Die Alterspolitik ist ein Skandal.*[401]

Nach der allgemeinen Studie kam Simone de Beauvoir wieder auf den Einzelfall, sich selbst, zurück und schrieb *Alles in allem,* die Geschichte ihres eigenen Alters bis 1972, die wieder wesentlich positiver verlief als das allgemeine Schicksal. Sie war, wie wir schon gehört haben, zufrieden mit ihrem Dasein, das sie nun bereits in seiner Gesamtheit zu übersehen meinte: *Wenn ich die Grundlinie meines Lebens verfolge*, schrieb sie, *so springt ihre ungebrochene Kontinuität in die Augen... Vor allem zwei Dinge haben meinem Dasein seine Einheit verliehen: der Platz, den Sartre niemals aufgehört hat in ihm einzunehmen. Und die Treue, mit der ich immer an meinem ursprünglichen Projekt festgehalten habe: Erkennen und Schreiben.*[402]

An dieser Grundlinie änderten auch die Jahre nach 1972 nichts. Simone de Beauvoir genoß ihre enge Freundschaft mit einer jungen Philosophielehrerin, Sylvie Le Bon, und ihren Status als monstre sacré der Frauenbewegung in Frankreich und der Welt, die sie aktiv unterstützte. 1979 brachte sie ihre frühen, bis dahin unveröffentlichten Erzählungen, *Quand prime le spirituel* [*Marcelle, Chantal, Lisa...*] heraus. Ihre Sorge aber galt Sartre, der seit einem Schlaganfall 1971 körperlich und geistig zunehmend verfiel und 1980 an Urämie starb. In der anstrengenden Pflege des Freundes, der, fast gänzlich erblindet, nicht mehr schreiben konnte und in allem auf andere angewiesen war, teilte sie sich mit Arlette Elkaïm, Michelle Vian und verschiedenen jüngeren Freundinnen, deren Unterhaltung und Aufmerksamkeit der Kranke nach wie vor schätzte. Trotzdem war Simone de Beauvoir nach Sartres Tod total erschöpft und wurde selbst krank. Ihre Freunde befürchteten auch, daß sie Selbstmord begehen könnte. Doch sie erholte sich wieder und suchte, wie so oft, Zuflucht in literarischer Tätigkeit, die sie nun ganz dem Mann widmete, dessen Leben so sehr ein Teil des ihren gewesen war.

In *Die Zeremonie des Abschieds. Für diejenigen, die Sartre geliebt haben, die ihn lieben und lieben werden*, beschrieb sie mit tiefster Sympathie und größter Genauigkeit *das Ende Sartres*, die letzten zehn Jahre seines Lebens, die von erschütterndem physischem Niedergang eines durch Drogen- und Alkoholmißbrauch zerstörten Körpers und gelassener Akzeptanz dieses Verfalls gekennzeichnet waren. Daran anschließend gab Simone de Beauvoir Gespräche wieder, die sie 1974 mit Sartre geführt hatte. Weder die Erinnerungen noch die Gespräche des Buchs fanden in der Kritik ungeteilt positive Aufnahme. Den einen warfen manche ein Zuviel an unnötigen Details über die körperlichen Schwächen eines großen Mannes vor, den anderen ein Zuwenig an kritischer Distanz. Viele sahen aber auch, wie sehr *Die Zeremonie des Abschieds* die bisherigen Präokkupationen ihrer Autorin weiterverfolgte. Simone de Beauvoir ließ sich jedenfalls nicht beirren und ging als nächstes Projekt an die Herausgabe der Briefe Sartres an sie und andere, der einzigen wichtigen, noch unveröffentlichten Manuskripte von ihm, die sie besaß. Sie erschienen 1983 nach schwierigen Verhandlungen mit Arlette, die als Adoptivtochter Einspruchsrecht hatte und in den nach Sartres Tod offen ausgetragenen Fehden zwischen seinen Schülern und Freunden im gegnerischen Lager stand.

Auf die Fragen von Feministinnen, warum Simone de Beauvoir ihre ganze Arbeitskraft dem Andenken Sartres widme und keinen neuen Roman oder eine Fortsetzung zum *Anderen Geschlecht* schreibe, antwortete sie: *Es ist ein sonderbarer Begriff von künstlerischer Arbeit, wenn man sie sich wie einen kleinen Garten vorstellt, genau umzäunt... als ob man sagen wollte, warum Blumen in dem einen pflanzen anstatt in dem anderen... In einem kreativen Beruf macht man, wozu man Lust hat. Und das ist, was mir im Moment Freude macht. Um schöpferisch zu arbeiten, braucht man Inspiration, und ich habe diese Inspiration nicht mehr.*[403] Sie schloß zwar nicht aus, daß das Interesse an eigener, kreativer Arbeit zurückkehren könnte, machte aber andererseits klar, daß sie das Gefühl hatte, gesagt zu haben, was sie sagen wollte.

In ihren letzten Lebensjahren führte Simone de Beauvoir ein relativ ruhiges, aber anregendes Leben in Gesellschaft von Sylvie Le Bon, die sie nach dem Tod Sartres adoptiert hatte, und vieler alter Freunde, Feministinnen aus aller Welt suchten Kontakt zu ihr und wurden freundlich empfangen. 1983 unternahm sie nochmals eine schon länger geplante private Reise in die USA, wo sie besonders beeindruckt war von der Frauenkommune und Farm der amerikanischen Feministin Kate Millett (Autorin von «Sexual Politics») im amerikanischen Bundesstaat New York. Am 14. April 1986 starb Simone de Beauvoir im Cochin-Spital in Paris. Auch ihr Begräbnis wurde, wie das Sartres, zur großen Feier, in der Frankreich eine der letzten aus dieser seiner vielleicht berühmtesten Generation von Intellektuellen ehrte. Daß es eine Frau war, die für viele ihrer Schwestern in der ganzen Welt Vorbild oder Anregung geworden war, gab dem Trauerzug, in dem eine Reihe dieser Frauen mitgingen, seine besondere, ihn von Sartres unterscheidende, stärker internationale und in die Zukunft weisende Note.

S. de Beauvoir

Anmerkungen

1 *Alles in allem.* Reinbek 1976 (= rororo. 1976). S. 12
2 Ebd.
3 Ebd., S. 15
4 *Der Lauf der Dinge.* Reinbek 1970 (= rororo. 1250). S. 357
5 *Memoiren einer Tochter aus gutem Hause.* Reinbek 1968 (= rororo. 1066). S. 49
6 Ebd., S. 48f
7 Ebd.
8 Ebd.
9 Ebd., S. 116
10 Ebd., S. 115
11 Ebd., S. 117
12 Ebd., S. 37
13 Ebd., S. 7
14 Ebd., S. 116
15 Ebd.
16 Ebd., S. 126f
17 Ebd., S. 127
18 Ebd.
19 *Alles in allem,* a. a. O., S. 24
20 Vgl. René Girard: «Yale French Studies» 27, S. 42
21 *Memoiren einer Tochter aus gutem Hause,* a. a. O., S. 63
22 Ebd., S. 109
23 Ebd., S. 110
24 *Alles in allem,* a. a. O., S. 17
25 *Memoiren einer Tochter aus gutem Hause,* a. a. O., S. 82
26 Ebd., S. 103f
27 Ebd., S. 105
28 *Alles in allem,* a. a. O., S. 24
29 *Memoiren einer Tochter aus gutem Hause,* a. a. O., S. 129
30 *Alles in allem,* a. a. O., S. 18
31 *Memoiren einer Tochter aus gutem Hause,* a. a. O., S. 179
32 Ebd., S. 97
33 Ebd., S. 181
34 Ebd., S. 129
35 Ebd., S. 127
36 Ebd., S. 128
37 Ebd., S. 95
38 In einem Interview mit der Autorin im Jahre 1976
39 *Memoiren einer Tochter aus gutem Hause,* a. a. O., S. 130
40 Ebd., S. 98
41 Ebd.
42 Ebd., S. 166
43 Ebd., S. 167
44 Ebd., S. 166
45 Ebd., S. 179
46 Ebd., S. 178
47 Ebd., S. 180
48 Ebd., S. 256
49 Ebd., S. 128
50 Ebd., S. 184
51 Ebd., S. 179
52 Ebd., S. 183
53 Ebd.
54 Ebd., S. 184
55 Ebd., S. 281
56 Ebd., S. 269
57 Ebd., S. 326f
58 Ebd., S. 330f
59 *Alles in allem,* a. a. O., S. 17f
60 *Memoiren einer Tochter aus gutem Hause,* a. a. O., S. 341
61 Interview mit Alice Schwarzer. In: «Der Spiegel» 15 (1976), S. 195
62 *In den besten Jahren.* Reinbek 1969 (= rororo. 1112). S. 13

63 Ebd., S. 305
64 Ebd., S. 27
65 *Memoiren einer Tochter aus gutem Hause*, a. a. O., S. 295 – Originaltext in «Nouvelle Observateur» 638 (31. Januar – 6. Februar 1977)
66 Interview Sartres mit Catherine Chaine. In: «Die Zeit» 9 (25. Februar 1977), S. 8f
67 Ebd.
68 *Memoiren einer Tochter aus gutem Hause*, a. a. O., S. 317
69 Ebd., S. 327
70 Ebd., S. 134
71 Ebd., S. 325
72 Ebd., S. 323
73 Ebd., S. 327
74 *In den besten Jahren*, a. a. O., S. 26f
75 *Der Lauf der Dinge*, a. a. O., S. 611
76 Ebd., S. 610f
77 *Memoiren einer Tochter aus gutem Hause*, a. a. O., S. 322
78 *In den besten Jahren*, a. a. O., S. 59
79 Ebd., S. 47
80 Ebd., S. 56
81 Ebd.
82 Ebd., S. 55
83 Ebd., S. 56
84 Ebd., S. 56f
85 Ebd., S. 56
86 Ebd., S. 57f
87 Ebd., S. 60
88 Interview mit Sartre, a. a. O.
89 *In den besten Jahren*, a. a. O., S. 69
90 Ebd., S. 59
91 Ebd., S. 79
92 *Alles in allem*, a. a. O., S. 28
93 *In den besten Jahren*, a. a. O., S. 70; vgl. auch Interview mit Sartre, a. a. O.
94 *Der Lauf der Dinge*, a. a. O., S. 609
95 Interview Sartres mit Madeleine Gobeil in: «Vogue», Juli 1965
96 Interview mit Sartre in «Die Zeit», a. a. O.
97 Vgl. ebd.; auch «Simone de Beauvoir interroge Jean-Paul Sartre» in: «L'Arc» 61, S. 3–11
98 Interview mit Sartre in «Die Zeit», a. a. O.
99 Interview mit Sartre, ebd.
100 *Der Lauf der Dinge*, a. a. O., S. 611
101 *In den besten Jahren*, a. a. O., S. 174
102 Ebd., S. 106
103 Ebd., S. 105
104 Ebd., S. 291
105 Ebd., S. 109
106 Ebd., S. 136
107 Ebd., S. 106
108 Ebd.
109 Ebd., S. 112
110 Ebd., S. 118
111 Ebd., S. 119
112 Ebd., S. 120f
113 Ebd.
114 Ebd., S. 112
115 Ebd., S. 161
116 Ebd., S. 129
117 Ebd., S. 126
118 Ebd., S. 129
119 Ebd.
120 Ebd., S. 113
121 Ebd., S. 129
122 Ebd., S. 113
123 Gespräch mit Madeleine Chapsal. In: Serge Julienne-Caffié, «Simone de Beauvoir». Paris 1966. S. 210
124 *In den besten Jahren*, a. a. O., S. 129
125 Ebd., S. 110
126 Ebd.
127 Ebd.
128 Ebd.
129 Ebd.
130 Ebd., S. 291
131 Ebd., S. 220
132 Ebd., S. 222
133 Ebd.
134 Ebd., S. 223
135 Ebd., S. 221
136 Ebd., S. 222
137 Ebd., S. 221f
138 *Sie kam und blieb*. Reinbek 1972 (= rororo. 1310). S. 281f

139 Die Sammlung wurde schließlich 1979 unter dem Titel *Quand prime le spirituel* als «Roman in Erzählungen» bei Gallimard veröffentlicht.
140 *In den besten Jahren*, a.a.O., S. 310
141 Ebd.
142 Ebd., S. 207
143 *Sie kam und blieb*, a. a. O., S. 233
144 Ebd., S. 376
145 Ebd.
146 *In den besten Jahren*, a. a. O., S. 288
147 Maurice Merleau-Ponty: «Le Roman et la métaphysique». In: Merleau-Ponty, «*Sens et non-sens*». Paris 1948. S. 53
148 *In den besten Jahren*, a. a. O., S. 315
149 Ebd., S. 268
150 Ebd.
151 Ebd., S. 293
152 Ebd., S. 273
153 Ebd., S. 247
154 Ebd., S. 315
155 Ebd., S. 304
156 Ebd., S. 394
157 Ebd., S. 304
158 Ebd.
159 Ebd.
160 Ebd., S. 316
161 Vgl. ebd., S. 369
162 Ebd., S. 429
163 Ebd.
164 Ebd., S. 399
165 Ebd.
166 Ebd., S. 429
167 Ebd., S. 368
168 Ebd., S. 428
169 Ebd., S. 450
170 Ebd., S. 429
171 Ebd.
172 Ebd., S. 512
173 Ebd., S. 515
174 Ebd., S. 178
175 Ebd., S. 494
176 Ebd., S. 517
177 Ebd., S. 494
178 Ebd., S. 514
179 Ebd., S. 517
180 Ebd., S. 481
181 Ebd., S. 490
182 Ebd., S. 509
183 Ebd., S. 511
184 *Der Lauf der Dinge*, a. a. O., S. 18
185 *In den besten Jahren*, a. a. O., S. 511f
186 Ebd., S. 512
187 Ebd., S. 467
188 Ebd.
189 *Der Lauf der Dinge*, a. a. O., S. 73
190 Ebd., S. 108
191 Ebd., S. 7
192 *In den besten Jahren*, a. a. O., S. 467
193 *Der Lauf der Dinge*, a. a. O., S. 45
194 *In den besten Jahren*, a. a. O., S. 467
195 Der Lauf der Dinge, a.a.O., S. 610
196 Ebd., S. 469
197 Ebd., S. 467
198 Ebd., S. 469
199 *Pyrrhus und Cineas*. In: *Soll man de Sade verbrennen?* München 1964. S. 224
200 Ebd., S. 224f
201 Ebd., S. 225
202 Ebd., S. 224f
203 Ebd., S. 257
204 Ebd., S. 256
205 Ebd., S. 255
206 *In den besten Jahren*, a. a. O., S. 468
207 Ebd.
208 Ebd., S. 469
209 *Pyrrhus und Cineas*, a. a. O., S. 292
210 *In den besten Jahren*, a. a. O., S. 461
211 Ebd., S. 464
212 *Das Blut der anderen*. Reinbek 1963 (= rororo. 545). S. 21
213 Ebd., S. 8
214 Ebd., S. 221
215 Ebd., S. 222
216 *In den besten Jahren*, a. a. O., S. 462
217 *Das Blut der anderen*, a. a. O., S. 39

218 Ebd., S. 45
219 Ebd., S. 203
220 *In den besten Jahren*, a. a. O., S. 462 (Berufung auf Kierkegaard)
221 Ebd., S. 466
222 *Der Lauf der Dinge*, a. a. O., S. 263
223 Ebd.
224 Ebd., S. 44
225 *In den besten Jahren*, a. a. O., S. 465
226 Robert D. Cottrell: «Simone de Beauvoir». New York 1975. S. 59
227 Es wurde 1949 aufgeführt; vgl. «Die Zeit» 45 (1949), S. 3
228 *Les Bouches inutiles*. Paris 1972. S. 79 (Übers. d. A.)
229 Ebd., S. 61f
230 *Der Lauf der Dinge*, a. a. O., S. 57
231 *In den besten Jahren*, a. a. O., S. 517
232 Ebd., S. 515
233 *Der Lauf der Dinge*, a. a. O., S. 70
234 Ebd.
235 Ebd., S. 122
236 Ebd., S. 123
237 Ebd., S. 22
238 Ebd., S. 69f
239 Ebd., S. 53
240 Ebd., S. 52, 53
241 Ebd., S. 72
242 Ebd., S. 54
243 Ebd., S. 72
244 *Für eine Moral der Doppelsinnigkeit*. In: *Soll man de Sade verbrennen?*, a. a. O., S. 89
245 Ebd., S. 91f
246 Ebd., S. 91
247 Ebd., S. 93
248 Ebd., S. 94
249 Ebd.
250 Ebd.
251 Ebd., S. 109
252 Ebd.
253 Ebd., S. 194f
254 *Der Lauf der Dinge*, a. a. O., S. 72
255 *L'Existentialisme et la sagesse des nations*. Paris 1948. S. 111 (Übers. d. A.)
256 Ebd., S. 114
257 *Der Lauf der Dinge*, a. a. O., S. 259
258 *In den besten Jahren*, a. a. O., S. 73
259 *Der Lauf der Dinge*, a. a. O., S. 21
260 Ebd.
261 Ebd.
262 *In den besten Jahren*, a. a. O., S. 78
263 *Der Lauf der Dinge*, a. a. O., S. 267
264 *In den besten Jahren*, a. a. O., S. 78
265 H. E. F. Donohue: «Conversations with Nelson Algren». New York 1964. S. 80
266 *In den besten Jahren*, a. a. O., S. 306
267 Ebd., S. 267
268 *Alles in allem*, a. a. O., S. 221
269 *Die Mandarins von Paris*. Reinbek 1965 (= rororo. 761). S. 85
270 *Alles in allem*, a. a. O., S. 222
271 *Der Lauf der Dinge*, a. a. O., S. 619
272 *Alles in allem*, a. a. O., S. 222f
273 Ebd., S. 343
274 Ebd., S. 421
275 Ebd., S. 423
276 Ebd.
277 Ebd., S. 412
278 Ebd., S. 417
279 Ebd., S. 421
280 Ebd., S. 411
281 Ebd.
282 *Der Lauf der Dinge*, a. a. O., S. 24f
283 Ebd., S. 124f
284 Ebd., S. 127
285 Ebd., S. 128
286 Ebd., S. 243
287 Nelson Algren gab «Newsweek» (28. Dezember 1964) ein Interview; vgl. auch «Der Spiegel» vom 13. Januar 1965. Er schrieb auch eine spöttische Kritik von *Der Lauf der Dinge* in: «Harper's Magazine», May 1965.
288 *Der Lauf der Dinge*, a. a. O., S. 127
289 Ebd., S. 247
290 Ebd., S. 320
291 Ebd., S. 334
292 Ebd.
293 *Alles in allem*, a. a. O., S. 421
294 Vgl. Georges Schlocker: «Die ergriffene Zeugin». In: «Neue

Deutsche Hefte» 15/1968, H. 2, S. 128f
295 *Der Lauf der Dinge*, a. a. O., S. 396
296 Ebd., S. 49
297 Ebd., S. 16
298 Ebd., S. 50
299 Ebd., S. 53
300 Ebd., S. 15
301 Ebd., S. 52
302 Ebd., S. 53
303 Ebd., S. 48
304 Ebd.
305 Ebd., S. 97
306 Ebd., S. 97f
307 Ebd., S. 489
308 Ebd., S. 255
309 Ebd., S. 623
310 Ebd., S. 138
311 Ebd., S. 147
312 Ebd., S. 196
313 Ebd., S. 248
314 Ebd., S. 253
315 Jean-Paul Sartre: «Critique de la raison dialectique». Paris 1960. S. 29 (Übers. d. A.)
316 *Der Lauf der Dinge*, a. a. O., S. 281
317 Ebd.
318 Ebd.
319 Ebd., S. 147
320 *Die Mandarins von Paris*, a. a. O., S. 524
321 Ebd., S. 290f
322 Ebd., S. 535
323 *Der Lauf der Dinge*, a. a. O., S. 190
324 Ebd., S. 256
325 Ebd., S. 261
326 Ebd., S. 255
327 Ebd.
328 Ebd., S. 258
329 Ebd., S. 256
330 Ebd.
331 Ebd.
332 Ebd., S. 262
333 Ebd.
334 Vgl. ebd., S. 162
335 *Die Mandarins von Paris*, a. a. O., S. 523
336 Ebd., S. 550
337 Ebd., S. 551
338 *Der Lauf der Dinge*, a. a. O., S. 259
339 Ebd., S. 260f
340 *Die Mandarins von Paris*, a. a. O., S. 553
341 *Der Lauf der Dinge*, a. a. O., S. 257
342 *Die Madarins von Paris*, a. a. O., S. 498
343 *Der Lauf der Dinge*, a. a. O., S. 264
344 Ebd., S. 236
345 *Soll man de Sade verbrennen?*, a. a. O., S. 63
346 Ebd., S. 59
347 Ebd., S. 13
348 Ebd., S. 83
349 Ebd.
350 *Der Lauf der Dinge*, a. a. O., S. 354f
351 Ebd., S. 307
352 Ebd., S. 357
353 Ebd., S. 614
354 Ebd., S. 474
355 Ebd., S. 620
356 *Alles in allem*, a. a. O., S. 37
357 Ebd., S. 470
358 *Der Lauf der Dinge*, a. a. O., S. 187
359 Ebd.
360 Ebd.
361 Ebd., S. 183
362 Vgl. Jean Leighton: «Simone de Beauvoir on Women». Cransbury–London 1975. S. 8f
363 *Das andere Geschlecht*. Reinbek 1968 (= rororo. 6621). S. 21
364 Ebd.
365 Ebd.
366 Ebd., S. 50
367 Ebd., S. 53
368 Ebd., S. 68
369 Ebd., S. 62
370 Ebd., S. 95
371 Ebd., S. 69
372 Ebd., S. 71
373 Ebd.
374 Ebd., S. 72
375 Ebd., S. 77
376 Ebd., S. 155
377 Ebd., S. 156
378 Ebd., S. 158
379 Leighton, a. a. O., S. 8

380 *Das andere Geschlecht*, a. a. O., S. 265
381 Ebd., S. 677
382 Ebd., S. 679
383 Ebd., S. 678
384 *Alles in allem*, a. a. O., S. 461
385 *Der Lauf der Dinge*, a. a. O., S. 189
386 *Alles in allem*, a. a. O., S. 462
387 Ebd., S. 465
388 Ebd.
389 Ebd., S. 464
390 Interview mit Alice Schwarzer, a. a. O., S. 195
391 *Ein sanfter Tod*. Reinbek 1968 (= rororo. 1016). S. 115
392 *Der Lauf der Dinge*, a. a. O., S. 621
393 Ebd.
394 Ebd., S. 622
395 *Alles in allem*, a. a. O., S. 38
396 *Die Welt der schönen Bilder*. Reinbek 1971 (= rororo. 1433). S. 123
397 Ebd., S. 98
398 *Alles in allem*, a. a. O., S. 133
399 Ebd., S. 139f
400 *Das Alter*. Reinbek 1972. S. 464
401 Ebd., S. 465
402 *Alles in allem*, a. a. O., S. 35f
403 Deirdre Bair: «Simone de Beauvoir in America». In: «The New York Times Book Review», 6. Mai 1984, S. 39

Zeittafel

1908	9. Januar: Geburt in Paris, 103, Boulevard Montparnasse
1913	Oktober: Schuleintritt, Cours Désir, Rue Jacob
1914	Oktober: Begegnung mit Zaza (Elizabeth Mabille)
1919	Umzug in die Rue de Rennes
1925	Baccalauréat
1925/26	Studium der Philologie am Institut Sainte-Marie in Neuilly (unter Garric) und der Mathematik am Institut Catholique
1926/27	Beginn des Philosophiestudiums an der Sorbonne
1928	License
1928/29	Diplomarbeit über Leibniz; Vorbereitung auf die agrégation an der Sorbonne und der École Normale Supérieure; Probezeit als Lehramtskandidatin am Lycée Janson-de-Sailly
1929	Bekanntschaft mit Jean-Paul Sartre; agrégation; Tod Zazas
1929–1931	Zwei Jahre «Urlaub» in Paris in der Nähe Sartres
1931/32	Erste volle Lehrverpflichtung als Philosophielehrerin in Marseille
1932–1936	Lehrerin in Rouen
1936–1943	Bis zur Entlassung unter der Vichy-Regierung Lehrerin in Paris, zuerst am Lycée Molière, dann am Camille Sée
1941	Rückkehr Sartres aus der Kriegsgefangenschaft
1943	Erscheinen von *L'Invitée* [*Sie kam und blieb*]
1943/44	Programmgestalterin bei Radio Nationale
1944	*Pyrrhus et Cinéas*
1945	*Les Bouches inutiles* [*Die unnützen Mäuler*]
1946	*Tous les Hommes sont mortels* [*Alle Menschen sind sterblich*]
1947	Erste Reise in die USA; Begegnung mit Nelson Algren – *Pour une morale de l'ambiguïté*
1948	*L'Amérique au jour le jour* [*Amerika – Tag und Nacht*]; *L'Existentialisme et la sagesse des nations*
1949	*Le Deuxième Sexe* [*Das andere Geschlecht*]
1950	Reisen nach Afrika, in Europa, nach Amerika
1951	Ende der Beziehung zu Nelson Algren
1952	Beginn der Beziehung zu Claude Lanzmann
1953	Übernimmt Sartres marxistischen Standpunkt
1954	Prix Goncourt für *Les Mandarins* [*Die Mandarins von Paris*] – Beginn des Algerien-Krieges und der Opposition gegen diesen Krieg
1955	Reisen nach Rußland und China – *Privilèges*
1957	*La Longue Marche* [*China – das weitgesteckte Ziel*]
1958	*Mémoires d'une jeune fille rangée* [*Memoiren einer Tochter aus gutem*

	Hause] – Trennung von Claude Lanzmann
1960	Reisen nach Brasilien und Kuba – *La Force de l'âge* [*In den besten Jahren*]
1962–1966	Jedes Jahr eine Reise in die Sowjet-Union
1962	*Djamila Boupacha* (in Zusammenarbeit mit Gisèle Halimi)
1963	*La Force des choses* [*Der Lauf der Dinge*]
1964	*Un Mort très douce* [*Ein sanfter Tod*]
1966	*Les Belles Images* [*Die Welt der schönen Bilder*]
1967	*La Femme rompue* [*Eine gebrochene Frau*]
1970	*La Vieillesse* [*Das Alter*]
1972	*Tout compte fait* [*Alles in allem*]
1975	Preis von Jerusalem
1979	*Quand prime le spirituel* [*Marcelle, Chantal, Lisa...*]
1980	Tod Jean-Paul Sartres
1981	*La Cérémonie des adieux, suivi de Entretiens avec Jean-Paul Sartre (août-septembre 1974)* [*Die Zeremonie des Abschieds und Gespräche mit Jean-Paul Sartre*]
1983	Herausgabe von Sartres Briefen
1986	14. April: Simone de Beauvoir stirbt in Paris

Zeugnisse

Jean-Paul Sartre

Das Wunderbare an Simone de Beauvoir ist, daß sie die Intelligenz eines Mannes ... und die Sensibilität einer Frau hat.

Interview mit Madeleine Gobeil. «Vogue», Juli 1965

Elizabeth Hardwick

Das andere Geschlecht ist so frisch utopisch, daß es einen mit einer Art Scham und Trauer erfüllt, wie wenn man alte Manifeste und Komiteeprogramme auf dem Dachboden findet. Es birst förmlich mit einem beinahe melancholischen Wunsch, daß Frauen ihre Möglichkeiten ernst nehmen, daß sie das Gegebene, das Leichte, das Traditionelle verwerfen sollen. Im Gegensatz zu den meisten Kritikern glaube ich nicht, daß das Bild, das hier vom Leben der Frau gegeben wird, ganz falsch ist ... Aber Haushalten, Kindererziehen, Putzen, Erhalten, Ernähren, Pflegen – jemand muß das tun, oder noch schlimmer, Millionen von Jemands, Tag für Tag. Zumindest im Heim, so scheint es, folgte die Gepflogenheit nicht so sehr der Willkür als der Beobachtung, wenn sie fand, daß Frauen an diese notwendige Rolle ziemlich gut adaptiert sind. Und sie müssen dabei bleiben, ob es ihnen gefällt oder nicht.

«Partisan Review», Mai–Juni 1953

Françoise Giroud

Wenn Mme de Beauvoir irritiert, so keineswegs weil sie das verbotene Thema der weiblichen Sexualität anschlägt. Andere haben das vor ihr in viel freierer Weise getan ... Das, was Mme de Beauvoir in die Literatur eingeführt hat, ist viel explosiver. Auch wenn sie die strengste Keuschheit predigen und preisen würde, würde sie irritieren. Denn, was man ihr versagt – und in ihrer Person auch allen anderen Frauen –, das ist, ihre Haltung auf diesem Gebiet selbst zu bestimmen ... ihr ganzes Werk – wenn ich es richtig verstanden habe – zeigt, daß die Frau den

Männern in ihrem Leben nicht mehr Platz einzuräumen braucht als die Männer ihr, daß sie ihr Leben nicht als Funktion der Männer, sondern mit den Männern aufbauen kann.

«L'Express», 15. Januar 1955

Iris Murdoch (über *Die Mandarins von Paris*)

Entschieden hat sie uns mit bemerkenswerter Ehrlichkeit das Dilemma des Liberalen in der westlichen Welt gezeichnet . . .

BBC Third Program, 10. April 1955

André Maurois

Memoires d'une jeune fille rangée, von Simone de Beauvoir. Wie wenig die Ironie dieses Titels zu einem so ernsten Buch paßt! Hart zu lesen für einen Christen, denn das wahre Thema ist der Verlust des Glaubens bei einem mit den Gaben des Geistes überreich beschenkten Geschöpf . . . Aus Simone de Beauvoir, der frommen Schülerin der Cours Désir, die dreimal die Woche zur Kommunion ging, wurde diese unversöhnliche, verachtungsvolle Gegnerin, die nicht zu bewundern, nicht zu lieben, uns unmöglich ist.

«Bloc-Notes», 24. Oktober 1958

Sarah Hirschman (ehemalige Schülerin)

Sie kam in einer lila Seidenbluse über einem Plisseerock – jung, das schwarze, mit Kämmen hochgefegte Haar in Kontrast zu ihren hellen, transparenten, mit blauem Lidschatten geschminkten Augen. Wir waren jahrelang von steifen, alterslosen Frauen mit Haarknoten und langen, über dunkle Kleider herabhängenden Goldketten unterrichtet worden. Frl. von Beauvoir erschien uns unglaublich glamorös.

«Yale French Studies» 22 (1958/59)

Dominique Aury

Dieses ernste und gewollte Werk ist erfrischend wie das blinde Werk der Colette und aus ähnlichen Gründen: durch die Ehrlichkeit, den Mut, den Trieb zum Wahren, den Geschmack am gut Gemachten. Hier ist die Poesie die Wahrheit. Hier betrügt niemand.

«Nouvelle Revue Française», September 1961

Colette Audry

Da ist eine Frau, die das Leben geführt hat, das sie für gut hielt, die sich um die Meinungen der anderen nicht kümmerte, die weder Religion noch Mann, noch Kinder hat, und das keineswegs bedauert, die einen Lebensgefährten besitzt und daneben Liebhaber hatte (und er Geliebte), die sich politisch nie auf Kompromisse einließ, aber auch nie die Disziplin einer Partei akzeptierte, weil sie sich als Intellektuelle engagiert hatte.

«France Observateur», 5. März 1964

François Bondy

Es wurde Simone de Beauvoir vorgeworfen, daß sie niemals Selbstkritik übe. Aber zur Selbstkritik würde eine Distanz gehören, in der auch der Humor Raum hätte. Und was auch sonst die Verdienste dieser Schriftstellerin sind – Humorlosigkeit kennzeichnet ihre ausgedehnten Erinnerungen in erstaunlichem Maße.

«Aus nächster Ferne»

Nelson Algren

Camus war ein Moment im Gewissen der Menschheit, aber Madame zog die Uhr auf. Er war gegen die Foltern, bis seine eigenen Landsleute sie praktizierten, dann verstummte er; sie warf Licht in die Zellen, wo die Armee bei Nacht tat, was de Gaulle bei Tag leugnete. Camus beklagte die Unmenschlichkeit des Menschen am Menschen; sie nannte die Zelle, wo man Blut gelassen hatte. «Habe ich das Recht, Künstler zu sein?» war Camus' Vorstellung von einem dringenden Problem. Ihre eigene war ein medizinischer Bericht, der die Folter bewies.

«Harper's», Mai 1965

Jean Améry (über *Alles in allem*)

Skepsis und verpflichtende Bindung an die Utopie oder, um es altmodischer zu sagen: an das *Ideal* halten einander die Waage. Der deutschsprachige Leser, wie deutlich er auch seine Einwände formulierte, wird am Ende kaum dem Gedanken ausweichen können, daß er in Deutschland eine Erscheinung wie Simone de Beauvoir vergeblich sucht.

«Neue Rundschau» 2 (1974)

Alice Schwarzer

Für viele Frauen waren Sie, Simone, vor der Existenz des neuen kollektiven Frauenkampfes ein Idol, und Sie bleiben die Verkörperung unserer Revolte. Was übrigens sicher nicht nur mit Ihrer sehr tiefgreifenden und weitgehenden theoretischen Analyse zu tun hat, sondern auch mit Ihren autobiographischen Romanen, die Sie als eine Frau zeigten, die es wagt, zu existieren.

«Der Spiegel» 15 (1976)

Gloria Steinem

Wenn man einem einzigen Menschen das Verdienst zuschreiben kann, die gegenwärtige internationale Frauenbewegung inspiriert zu haben, dann ist das Simone de Beauvoir.

«New York Times», 15. April 1986

Bibliographie

Eine Auswahl

1. Werke

a) Romane

L'Invitée. Paris (Gallimard) 1943 – Dt.: Sie kam und blieb. Übers. von E. Rechel-Mertens. Hamburg (Rowohlt) 1953 – Neuausg.: Reinbek (Rowohlt) 1972 (rororo. 1310)

Le sang des autres. Paris (Gallimard) 1945 – Dt.: Das Blut der anderen. Übers. von K. Rheinhold. Reinbek (Rowohlt) 1963 (rororo. 545)

Tous les hommes sont mortels. Paris (Gallimard) 1945 – Dt.: Alle Menschen sind sterblich. Übers. von E. Rechel-Mertens. Stuttgart (Rowohlt) 1949 – Neuausg.: Reinbek (Rowohlt) 1970 (rororo. 1302)

Les mandarins. Paris (Gallimard) 1954 – Dt.: Die Mandarins von Paris. Übers. von R. Ücker-Lutz und F. Montfort. Hamburg (Rowohlt) 1955 – Neuausg.: Reinbek (Rowohlt) 1965 (rororo. 761)

Les belles images. Paris (Gallimard) 1966 – Dt.: Die Welt der schönen Bilder. Übers. von H. Stiehl. Reinbek (Rowohlt) 1968 – Neuausg.: Reinbek (Rowohlt) 1971 (rororo. 1433)

Quand prime le spirituel. Paris (Gallimard) 1979 – Dt.: Marcelle, Chantal, Lisa... Ein Roman in Erzählungen. Übers. von U. Aumüller. Reinbek (Rowohlt) 1981 (rororo. 4755)

b) Erzählungen

Une mort très douce. Paris (Gallimard) 1964 – Dt.: Ein sanfter Tod. Übers. von P. Mayer. Reinbek (Rowohlt) 1965 – Neuausg.: Reinbek (Rowohlt) 1968 (rororo. 1016) – Literatur für Kopf Hörer. Rosemarie Fendel liest. 1 Toncassette. Reinbek (Rowohlt) 1989 (rororo. Cassetten 66009)

La femme rompue («L'Âge de discrétion», «Monologue», «La femme rompue»). Paris (Gallimard) 1967 – Dt.: Eine gebrochene Frau. Übers. von U. Hengst. Reinbek (Rowohlt) 1969 – Neuausg.: Reinbek (Rowohlt) 1972 (rororo. 1489) – Literatur für Kopf Hörer. Erika Pluhar liest. 2 Toncassetten. Reinbek (Rowohlt) 1988 (rororo. Cassetten 66012)

c) Dramen

Les bouches inutiles. Paris (Gallimard) 1945

d) Essays und Reportagen

Pyrrhus et Cinéas. Paris (Gallimard) 1944 – Dt.: Pyrrhus und Cineas. In: Soll man de Sade verbrennen? Übers. von A. Zeller. München (Szczesny Verlag) 1964 – Neuausg. in: Soll man de Sade verbrennen? Drei Essays zur Moral des Existentialismus. Reinbek (Rowohlt) 1983 (rororo. 5174)

Pour une morale de l'ambiguité. Paris (Gallimard) 1947 – Dt.: Für eine Moral der Doppelsinnigkeit. In: Soll man de Sade verbrennen? Übers. von A. Zeller. München (Szczesny Verlag) 1964 – Neuausg. in: Soll man de Sade verbrennen? Drei Essays zur Moral des Existentialismus. Reinbek (Rowohlt) 1983 (rororo. 5174)

L'Existentialisme et la sagesse des nations (Inhalt: L'Existentialisme et la sagesse des nations. Idéalisme moral et réalisme politique. Œil pour œil. Littérature et métaphisique). Paris (Nagel) 1948 – Dt.: Auge um Auge. Artikel zu Politik, Moral und Literatur 1945–1955 (Inhalt: Moralischer Idealismus und politischer Realismus. Der Existentialismus und die Volksweisheit. Auge um Auge. Literatur und Metaphysik). Übers. von E. Groepler. Reinbek (Rowohlt) 1987 – Neuausg.: Reinbek (Rowohlt) 1992 (rororo. 13066)

L'Amérique au jour le jour. Paris (Paul Morihien) 1948 – Dt.: Amerika – Tag und Nacht. Übers. von W. Wallfisch. Hamburg (Rowohlt) 1950 – Neuausg.: Reinbek (Rowohlt) 1988 (rororo. 12206)

Le deuxième sexe, vol. I «Les faits et les mythes»; vol. II «L'Expérience vecue». Paris (Gallimard) 1949 – Dt.: Das andere Geschlecht. Sitte und Sexus der Frau Übers. von E. Rechel-Mertens und F. Montfort. Hamburg (Rowohlt) 1951 – Neuausg.: Reinbek (Rowohlt) 1968 (rororo. 6621) – Neuübersetzung von U. Aumüller und G. Osterwald. Reinbek (Rowohlt) 1992 (rororo. 9319)

Privilèges (Inhalt: Faut il brûler de Sade?. La pensée de droite, aujourd'hui. Merleau-Ponty et le pseudosartrisme). Paris (Gallimard) 1955 – Dt. daraus: Soll man de Sade verbrennen? Übers. von A. Zeller. München (Szczesny Verlag) 1964 – Neuausg. in: Soll man de Sade verbrennen? Drei Essays zur Moral des Existentialismus. Reinbek (Rowohlt) 1983 (rororo. 5174) – Rechtes Denken, heute. Übers. von E. Groepler. In: Auge um Auge. Artikel zur Politik, Moral und Literatur 1945–1955. Reinbek (Rowohlt) 1987 – Neuausg.: Reinbek (Rowohlt) 1992 (rororo. 13066)

La longue marche. Essai sur la Chine. Paris (Gallimard) 1957 – Dt.: China – das weitgesteckte Ziel. Übers. von K. v. Schab und H. Studniczka. Hamburg (Rowohlt) 1958

Brigitte Bardot and the Lolita Syndrome. London (Deutsch, Weidenfeld and Nicolson) 1960; also in: Esquire, August 1959, S. 32f – Dt.: «Birgitte Bardot – ein Symptom». In: Frankfurter Allgemeine Zeitung, 12. September 1959

Djamila Boupacha. En collaboration avec Gisèle Halimi. Paris (Nagel) 1962

Que peut la littérature? Réponse de Simone de Beauvoir dans la Collection L'INEDIT (10/18), Paris (Union générale d'éditions) 1965

La vieillesse. Paris (Gallimard) 1970 – Dt.: Das Alter. Übers. von A. Aigner-Dünnwald und R. Henry. Reinbek (Rowohlt) 1972 – Neuausg.: Reinbek (Rowohlt) 1977 (rororo. 7095)

La cérémonie des adieux. Paris (Gallimard) 1981 – Dt.: Die Zeremonie des Abschieds und Gespräche mit Jean-Paul Sartre. Übers. von U. Aumüller und E. Moldenhauer. Reinbek (Rowohlt) 1983 – Neuausg.: Reinbek (Rowohlt) 1986 (rororo. 5747)

Der Wille zum Glück. Simone de Beauvoir Lesebuch. Hg. von Sonia Mikich. Reinbek (Rowohlt) 1986

e) Kritik, Übersetzung, Vorwort

La phénoménologie de la perception de M. Merleau-Ponty. In: Les Temps Modernes 2, November 1949, S. 363–367

Trop de sel sur les bretzels. Von Nelson Algren. Übers. von S. d. B. In: Les Temps Modernes 36, September 1948

Les structures élémentaires de la parenté par Cl. Lévi-Strauss. In: Les Temps Modernes 49 (1949), S. 495 f

Le «Planning» Familial von M.-A. Weill-Halle. Vorwort von S. d. B. Paris (Maloine) 1959

La grande peur d'aimer von M.-A. Weill-Halle. Vorwort von S. d. B. Paris (Julliard) 1960

La bâtarde von Violette Leduc. Vorwort von S. d. B. Paris (Gallimard) 1960 – Dt. in: Violette Leduc, Die Bastardin. Reinbek (Rowohlt) 1978 (rororo. 4179)

Treblinka von Jean-François Steiner. Vorwort von S. d. B. Paris (Arthème Fayard) 1966

Naissance des Temps Modernes. In: Les Temps Modernes 471 (1985), S. 351–353

f) Film

Sartre. Von Alexandre Astruc und Michel Contat unter Mitwirkung von Simone de Beauvoir und anderen, 1978 – Als Buch: Sartre. Ein Film. Deutsch von L. Birk. Reinbek (Rowohlt) 1978 (das neue buch. 101)

Le sang des autres. Nach dem gleichnamigen Roman von Simone de Beauvoir, Frankreich–Kanada 1984. Regisseur: Claude Chabrol, mit Jodie Foster, Michael Outkean, Lambert Wilson

Le deuxième sexe. Regie Josée Dayan. TF 1 France, 1984, 220 Minuten (Fernsehfilm, mit Unterstützung des Ministeriums für Kultur und des Ministeriums für Frauenrechte)

2. Lebenszeugnisse

Mémoires d'une jeune fille rangée. Paris (Gallimard) 1958 – Dt.: Memoiren einer Tochter aus gutem Hause. Übers. von E. Rechel-Mertens. Reinbek (Rowohlt) 1960 – Neuausg.: Reinbek (Rowohlt) 1968 (rororo. 1066)

La force de l'âge. Paris (Gallimard) 1960 – Dt.: In den besten Jahren. Übers. von E. Soellner. Reinbek (Rowohlt) 1961 – Neuausg.: Reinbek (Rowohlt) 1969 (rororo. 1112)

La force des choses. Paris (Gallimard) 1963 – Dt.: Der Lauf der Dinge. Übers. von P. Baudisch. Reinbek (Rowohlt) 1966 – Neuausg.: Reinbek (Rowohlt) 1970 (rororo. 1250)

Tout compte fait. Paris (Gallimard) 1972 – Dt.: Alles in allem. Reinbek (Rowohlt) 1972 – Neuausg.: Reinbek (Rowohlt) 1976 (rororo. 1976)

Journal de guerre (septembre 1939 – janvier 1941). Hg. von Sylvie Le Bon de Beauvoir. Paris 1990 – Dt.: Kriegstagebuch September 1939 – Januar 1941. Reinbek (Rowohlt) 1994

Lettres à Sartre. Hg. von Sylvie Le Bon de Beauvoir. 2 Bde. Paris 1990 – Dt.:

Briefe an Sartre. Band I: 1930–1939, Band II: 1940–1963. Reinbek (Rowohlt) 1997 (rororo. 22372 und 22373)
Eine transatlantische Liebe. Briefe an Nelson Algren. Hg. von Sylvie Le Bon de Beauvoir. Reinbek (Rowohlt) 1999
Une histoire que je me racontais. Presenté par Marc Blancpain (Schallplatte) Colléttion «Les Écrivains de notre temps» No. 24 Dund éditeur; 92, rue Bonaparte
Aujourd'hui Julien Sorel serait une femme. In: France Observateur 514, 10. März 1960, S. 14
Qù en est la révolution Cubaine (Fidel Castro)?. In: France Observateur 518, 7. April 1960, S. 12f
Gespräch mit Madeleine Chapsal. In: M. Chapsal, Les Écrivains en personne. Paris (Julliard) 1960
Gespräch mit Madeleine Gobeil. In: Paris-Review, Juni 1965 – Abdruck in D. Julienne-Caffié: Simone de Beauvoir. Paris (Gallimard) 1966. S. 211–218
Zwei Gespräche mit Francis Jeanson. In: F. Jeanson, Simone de Beauvoir ou l'entreprise de vivre. Paris (Aux Éditions du Seuil) 1966. S. 251–298
La Femme révoltée. Interview mit Alice Schwarzer. In: Nouvel Observateur 379, 19./20. Februar 1972, S. 47–54 – Dt.: Ich bin Feministin. In: Alice Schwarzer, Simone de Beauvoir heute. Gespräche aus zehn Jahren 1971–1982. Reinbek (Rowohlt) 1983
Simone de Beauvoir interroge Jean-Paul Sartre. in: Simone de Beauvoir et la lutte des femmes. L'Arc 61, 1975
Das Ewig Weibliche ist eine Lüge. Interview mit Alice Schwarzer. In: Der Spiegel 15 (1976), S. 190f – Neuausg. in: Alice Schwarzer, Simone de Beauvoir heute. Gespräche aus zehn Jahren 1971–1982. Reinbek (Rowohlt) 1983
Simone de Beauvoir. Filmporträt von Josée Dayan und Malka Ribowska. Text des Films. Paris (Gallimard) 1978
Sartre, Jean-Paul: Lettres au Castor et à quelques autres. Paris (Gallimard) 1983 – Dt.: Briefe an Simone de Beauvoir und andere. Hg. von Simone de Beauvoir. Band 1: 1926–1939. Reinbek (Rowohlt) 1984 (rororo. 5424) – Band 2: 1940–1963. Reinbek (Rowohlt) 1985 (rororo. 5570)
Zeitmontage, Simone de Beauvoir. Hg. von Kristine von Soden. Berlin 1989
Lettres à Nelson Algren. Un amour transatlantique 1947–1964. Paris (Gallimard) 1997

3. Über Simone de Beauvoir

a) Bücher

Ascher, Carol: Simone de Beauvoir. A life of freedom. Boston 1981
Bair, Deirdre: Simone de Beauvoir. A Biography. New York 1990 – Dt.: Simone de Beauvoir. Eine Biographie. München 1990
Berghe, Christian Louis van den: Dictionnaire des idées dans l'œuvre de Simone de Beauvoir. La Haye–Paris 1967
Bieber, Konrad: Simone de Beauvoir. Boston 1979
Cayron, Claire: La nature chez Simone de Beauvoir. Paris 1973
Cottrell, Robert D.: Simone de Beauvoir. Modern Literature Monographs. New York 1975
Descubes, Madeleine: Connaître Simone de Beauvoir. Paris 1974

Evans, Mary: Simone de Beauvoir. A feminist mandarin. London–New York 1985
Francis, Claude, und Gontier, Fernande: Les Écrits de Simone de Beauvoir. La vie. L'écriture avec en appendice textes inédits ou retrouvés. Paris 1979
–: Simone de Beauvoir. Paris 1985 – Dt.: Simone de Beauvoir. Die Biographie. Weinheim–Berlin 1986 – Neuausg.: Reinbek 1989 (rororo. 12442)
Fulbrook, Kate und Edward: Simone de Beauvoir and Jean-Paul Sartre: The Remaking of a Legend. Brighton 1994
Fulbrook, Edward: Simone de Beauvoir. Oxford 1997 – Dt.: Simone de Beauvoir. Frankfurt a. M. 1997
Fraser, Mariam: Identity without Selfhood: Simone de Beauvoir and Selfhood. Cambridge 1999
Gagnebin, Laurent: Simone de Beauvoir ou le refus de l'indifférence. Paris 1968
Gennari, Geneviève: Simone de Beauvoir. Paris 1958
Henry, A. M.: Simone de Beauvoir ou l'échec d'une chrétienne. Paris 1961
Hourdin, Georges: Simone de Beauvoir et la liberté. Paris 1962
Jaccard, Annie-Claire: Simone de Beauvoir. Zürich 1968
Jeanson, Francis: Simone de Beauvoir et l'entreprise de vivre. Paris 1966
Julienne-Caffié, Serge: Simone de Beauvoir. Paris 1966
Keefe, Terry: Simone de Beauvoir. A Study of her Writings. Totowa 1984
Lamblin, Bianca: Memoires d'une jeune fille dérangée. Paris 1993
Lasocki, Anne-Marie: Simone de Beauvoir et l'entreprise d'écrire. The Hague 1971
Leighton, Jean: Simone de Beauvoir on woman. Cransbury/N. J.–London 1975
Lilar, Suzanne: Le malentendu du «Deuxième Sexe». Paris 1969
McNabb, Elizabeth L.: The Fractured Family: The Second Sex and its (Dis)connected Daughters. New York 1993
Madsen, Axel: Hearts and minds. The common journey of Simone de Beauvoir and Jean-Paul Sartre. New York 1977 – Dt.: Jean-Paul Sartre und Simone de Beauvoir. Die Geschichte einer ungewöhnlichen Liebe. Düsseldorf 1980 – Neuausg.: Reinbek 1982 (rororo. 4921)
Marks, Elaine: Simone de Beauvoir – Encounters with death. New Brunswick/N. J. 1973
Moeller, Charles: Simone de Beauvoir und die Situation der Frau. In: Dortmunder Vorträge 23. Dortmund 1960
Moi, Toril: Feminist Theory and Simone de Beauvoir. Hg. von Michael Payne und Laura Payne. Oxford 1989
–: Simone de Beauvoir: The Making of an Intellectual Woman. Oxford und Cambridge 1994
–: Simone de Beauvoir. Frankfurt a. M. (Sonderausgabe) 1997
Monteil, Claudine: Les amants de la liberté: l'aventure de Simone de Beauvoir dans le siècle. Paris 2000
Moubachir, Chantal: Simone de Beauvoir ou le souci de différence. Paris 1972
Okely, Judith: Simone de Beauvoir. New York 1986
Rossum, Walter van: Simone de Beauvoir und Jean-Paul Sartre. Reinbek 1998
Saccani, Jean-Pierre: Nelson et Simone. Monaco 1994
Schwarzer, Alice: Simone de Beauvoir heute. Gespräche aus zehn Jahren 1971–1982 (Inhalt: Ich bin Feministin – ... durchaus zu kritisieren – Das Ewig

Weibliche ist eine Lüge – Frauen fallen nicht so tief runter ... – Eine Wahl gegen diese Welt – Frausein genügt nicht). Reinbek 1983

SIMONS, MARGARET A. (Hg.): Feminist Interpretations of Simone de Beauvoir. University Park 1995

SODEN, KRISTINE VON (Hg.): Simone de Beauvoir. Berlin 1989

WAGNER, CORNELIA: Simone de Beauvoirs Weg zum Feminismus. Zur Wandlung und narrativen Umsetzung ihres Emanzipationskonzepts. Rheinfelden 1984 (Reihe Romanistik. 45)

WASMUND, DAGNY: Der «Skandal» der Simone de Beauvoir. Probleme der Selbstverwirklichung im Existentialismus, dargelegt an den Romangestalten Simone de Beauvoirs. In: Münchner Romanische Arbeiten hg. F. RAUHAUT und Z. REINFELDER. Nr. 18 München 1963

WHITMARSCH, ANNE: Simone de Beauvoir and the Limits of Commitment. Cambridge 1981

ZEPHIR, JACQUES J.: Le Néo-féminisme de Simone de Beauvoir: Trente ans après Le Deuxième Sexe. Paris 1982

b) Artikel in Büchern und Zeitschriften

ALBÉRÈS, R.-M.: Le roman d'aujourd'hui, 1960–1970. Paris 1970

ALGREN, NELSON: The question of Simone de Beauvoir. In: Harper's, Mai 1965, S. 134–136

AMÉRY, JEAN: Chronik einer Epoche – Bilanz einer Existenz. In: Neue Rundschau, Jg. 85/1974, H. 2, S. 325–327

AUDRY, COLETTE: Dix ans après «Le Deuxième Sexe». In: La Nef Oktober–Dezember 1960

–: Votre solidité. In: Nouvelle Revue Française 17, September 1961

BAYS, GWENDOLYN: Simone de Beauvoir: Ethics and art. In: Yale French Studies 1, Spring–Summer 1948, S. 106–112

BOISDEFFRE, PIERRE DE: Dictionnaire de la littérature contemporaine. 1900–1962. Paris 1962

BONDY, FRANÇOIS: Aus nächster Ferne. München 1970. S. 133–142

BOUSQUET, JOEL: Simone de Beauvoir et la poésie. In: Critique II, No. 12. Mai 1947

BOUTHAL, BETTY: Memoiren eines ordentlichen jungen Mädchens. In: Frankfurter Allgemeine Zeitung, 13. Dezember 1958

BROMBERT, VICTOR: Simone de Beauvoir and Le sang des autres. In: The Intellectual Hero. Philadelphia–New York 1961. S. 232–238

BRUNEAU, JEAN: Existentialism and the American Novel. In: Yale French Studies, Bd. 1, No. 1, 1948, S. 66–72

CHAPSAL, MADELEINE: A union without issue. In: The Reporter, 1961

CHOISY, MARYSE: Psychologie, sociologie et syntaxe des Mandarins. In: Psycho 95, Oktober 1954

CRANSTON, MAURICE: Simone de Beauvoir. In: The Novelist as Philosopher, ed. JOHN CRUICKSHANK. London 1962. S. 166–182

DAMPF, ANNELIESE: Zu einem Buch Simone de Beauvoirs über Sitte und Sexus der Frau. In: Die neue Furche, 1952, S. 560–562

DÖLLING, IRENE: «Man kommt nicht als Frau zur Welt, man wird es». Zur Veröffentlichung von Simone de Beauvoirs Buch «Das andere Geschlecht. Sitte und

Sexus der Frau» in der DDR. In: Weimarer Beiträge XXXVI, 1990, S. 1180–1185
Donohue, H. E. F.: Conversation with Nelson Algren. New York 1964. S. 178–186, 266–269
Durant, Will und Ariel: Interpretations of life. A survey of contemporary literature. New York 1970
Ehrmann, Jacques: Simone de Beauvoir and the related destinies of woman and intellectual. In: Yale French Studies 27 (1961), S. 26–32
Ellman, Mary: The dutiful Simone de Beauvoir. In: Commentary 40 (1965), S. 59–62
Evans, Christine Ann: «La Charmante Vermine»: Simone de Beauvoir and the Women in her Life. In: Simone de Beauvoir Studies, 12, 1995, S. 26–32
Fitch, Brian T.: «Le dévoilement de la conscience» de l'autre: L'invitée de Simone de Beauvoir. In: Le sentiment d'étrangeté chez Malraux, Sartre, Camus et Simone de Beauvoir. Paris 1964. S. 143–172
Galster, Ingrid: Simone de Beauvoir et Radio-Vichy: A propos de quelques scenarios retrouvés. In: Romanische Forschungen, 108: 1–2, 1996, S. 112–32
Girard, René: Memoirs of a dutiful existentialist. In: Yale French Studies 27 (1961), S. 41–46
Görres, Ida-Friederike: Die «Erfindung» der Frau. In: Wort und Wahrheit, 1951, S. 58–63
Grunenberg, Nina: Alles wie bei Sartre. In: Die Zeit, Nr. 18, 2. Mai 1986, S. 24
Gutjahr, Leopold: Simone de Beauvoir – mehr als nur ‹la grande Sartreuse›. In: Moderne Sprachen, Jänner–Juni 1984; Juli–Dez. 1984; Jänner–Juni 1985, S. 27–43; 1–20; 1–20
Hardwick, Elizabeth: The subjection of women. In: Partisan Review, May–June 1953, S. 321–331
Hirschman, S.: Simone de Beauvoir as lycée teacher. In: Yale French Studies 22, Winter-Spring 1958/59, S. 79–82
Hudsin, G. F.: Am Ziel vorbei. In: Der Monat, Juli 1960, S. 78–82
Light, John: Lou Andreas-Salome and Simone de Beauvoir: The Mystic and the Intellectual. In: Simone de Beauvoir Studies, 12, 1995, S. 52–58
Lüthy, Herbert: Zwischen Verheißung und Wirklichkeit. In: Der Monat 88 (1956), S. 72–77
Magny, Claude-Edmonde: Les romans existentialistes et la littérature. In: Poésie 46, 72ème année, No. 29, janvier 1949
Maurois, André: De Gide à Sartre. Paris 1965
McCarthy, Mary: Mlle. Passepartout. In: Der Monat, März 1952, S. 651–653
Merleau-Ponty, Maurice: Le roman et la métaphysique. In: Merleau-Ponty, Sens et non-sens. Paris 1948. S. 45–71
Nadeau, Maurice: Le roman français depuis la guerre. Paris 1963
Nahas, Hélène: La femme dans la littérature existentielle. Paris 1957
Ominus, Jean: L'Expérience humaine de Simone de Beauvoir. In: Cahiers Universitaires Catholiques, November 1961
Peyre, Henri: French novelists of today. New York 1967. S. 292–307
Pingaud, Bernard: Écrivains d'aujourd'hui: dictionnaire anthologique et critique. Paris 1960

Pross, H.: Eine gelungene Emanzipation. In: Frankfurter Hefte 15 (1960), S. 655–685
Radford, C. B.: The Authenticity of Simone de Beauvoir. In: Nottingham French Studies. IV, No. 2, Oktober 1965, S. 91–104
Radisch, Iris: Gefahrlose Liebschaften. In: Die Zeit, Nr. 22, 1. Juni 1990, S. 13
Simone de Beauvoir: Feminism's friend or foe? I. In: Nottingham French Studies, VI, No. 2, Oktober 1967, S. 87–102 – II. In: Nottingham French Studies, VII, No. 1, Mai 1968, S. 39–53
Reck, Rima Dell: Simone de Beauvoir: Sensibility and responsibility. In: Literature and Responsibility. Baton Rouge 1969. S. 86–115
Retif, Françoise: Affleurement d'un mythe: Tristan chez Simone de Beauvoir et Ingeborg Bachmann. In: Revue de Littérature Comparée, Juli–September 1989, S. 357–367
Rice, Phillip Blair: Existentialism and the myth. In: The Kenyon Review, Spring 1948, S. 691–699
Rockmore, Sylvie: Simone de Beauvoir: Mythes et realités. In: Simone de Beauvoir Studies, Menlo Park, 8/1994, S. 133–134
Roy, Claude: Déscriptions critiques. Paris 1960
Salomonson, Anna: Zu den Werken S. de Beauvoirs, Fiktion als Rache. In: Hochland, 1960, S. 426f
Schauder, K.: Die Geschichte einer Emanzipation. In: Zeitwende, 1960, S. 784–785
Schlocker, Georges: Die ergriffene Zeugin: In: Neue deutsche Hefte, Jg. 15/1968, H. 2, S. 128f
Schottländer, Rudolf: Das Alter – Ein Thema von Simone de Beauvoir. In: Sinn und Form, 38/1986, H. 6, S. 1215–1229
Schulze, Hans-Jörg: Die philosophische Grundlegung der Konzeption vom Verhältnis von Individuum und Gesellschaft bei Simone de Beauvoir. In: Wissenschaftliche Zeitschrift der Karl-Marx-Universität Leipzig, Jg. 22/1973, S. 353–365
Selle, Irene: Die Entmystifizierung traditioneller Vorstellungen zum Wesen der Frau. Simone de Beauvoir als Wegbereiterin des Neofeminismus. In: Beiträge zur Romanischen Philologie, 23/1984, H. 2
Staedtler-Djedji, Katharina: Simone de Beauvoir et l'Afrique. In: Echanges franco-allemands sur l'Afrique. Hg. Janos Riesz und Helene d'Almeida-Topor. Bayreuth 1994
Strichland, G. R. S.: Beauvoir's autobiography. In: The Cambridge Quarterly I, Winter 1965/66, S. 43–60
Suleiman, Susan Rubin: Simone de Beauvoir and the Writing Self. In: L'Esprit Créateur, 1989, H. 4, S. 42–51
Test, Mary Lawrence: Simone de Beauvoir: Le Refus de l'avenir: L'Image de la femme dans Les Mandarins et Les Belles Images, In: Simone de Beauvoir Studies, Menlo Park, 11/1994, S. 19–29
Tidd, Ursula: Entretien avec Sylvie Le Bon de Beauvoir. In: Simone de Beauvoir Studies, 12, 1995, S. 10–16
Wenzel, Helene Vivienne (Hg): Simone de Beauvoir: Witness to a Century. in: Yale French Studies, No. 72, 1987

Namenregister

Die kursiv gesetzten Zahlen bezeichnen die Abbildungen

Abélard, Pierre 94
Alain (Émile Chartier) 46
Algren, Nelson 86, 92f, 100; Anm. 287; *93*
Allende Gossens, Salvador Isabelino del Sagrado Corazón de Jesús 89
Amado, Jorge *97*
Aron, Raymond 28, 77, *78*
Audry, Colette 45, 53, *47*

Bair, Deirdre Anm. 403
Balzac, Honoré de 15
Barrès, Maurice 26
Bataille, Georges 60
Baudelaire, Charles 113
Beauvoir, Françoise de 7f, 13f, 18, 21f, 24, 31, 128, *9, 14, 16, 111*
Beauvoir, Georges de 7f, 13, 14, 21, 22f, 31, 34, *9, 23*
Beauvoir, Hélène de 13, 32, *14, 16, 23*
Bost, Olga *93*
Boupacha, Djamila 116f
Brasillach, Robert 56
Breton, André *61*

Camus, Albert 59, 65, 102, 106, *107*
Castro, Fidel *91*
Céline, Louis-Ferdinand (Louis-Ferdinand Destouches) 46
Chabrol, Claude 71
Chaine, Catherine Anm. 66
Chaplin, Charlie 77
Chapsal, Madeleine Anm. 123
Claudel, Paul 26
Cocteau, Jean 60
Cottrell, Robert D. Anm. 226

Déat, Marcel 56
Dedijer, Vladimir *117*
Disney, Walt 94
Donohue, H. E. F. Anm. 265
Dos Passos, John Roderigo 46, 73
Dostojevskij, Fjodor M. 70, 81
Duchamp, Marcel 72
Dullin, Charles 51

Ehrenreich, Dolores Vanetti 92
Elkaïm, Arlette 42, 135f
Engels, Friedrich 121

Faulkner, William 46, 73
Foster, Jodie *71*
Flaubert, Gustave 45
Frank, Anne 116
Freud, Sigmund 121

Genet, Jean 59, 75
Giacometti, Alberto 60, 72
Gide, André Paul Guillaume 26, 46
Girard, René Anm. 20
Gobeil, Madeleine Anm. 95
Greco, Juliette 66
Grenier, Jean 66, 67

Halimi, Gisèle 115f, *115*
Hegel, Georg Wilhelm Friedrich 51, 76
Heidegger, Martin 66, 68
Héloïse 94
Hemingway, Ernest Miller 46, 52, 73, 94
Hitler, Adolf 54, 56
Husserl, Edmund 47, 49

Joyce, James 118
Julienne-Caffié, Serge Anm. 123

Kafka, Franz 47, 52
Kierkegaard, Sören 66, 67, 72; Anm. 220
Kosakievicz, Olga 49f

La Bruyère, Jean de 81
Laiguillon, Jacques 26, 29f
Lanzman, Claude 102f, 118
Le Bon, Sylvie 135f
Leibniz, Gottfried Wilhelm Freiherr von 27, 32
Leighton, Jean Anm. 362, 379
Leiris, Michel 60, 77, *60*
Lévi-Strauss, Claude 27
Lévy, Benny 42
Lise (Nathalie Sorokine) 57, 59, 110, *55*

Mabille, Elizabeth 19, 21, 22, 29, 30, 32, 34, 119, *20*
Mao Tse-tung 96
Marcel, Gabriel 66
Marr, Dora 60
Marshall, George Catlett 100
McCarthy, Joseph Raymond 92
Merleau-Ponty, Maurice 27, 52, 77, 115; Anm. 147; *79*
Millett, Kate 136
Mouloudij, Marcel 60, *60*
Mussolini, Benito 48

el-Nasser, Gamal 'Abd 90
Nizan, Paul 28, *29*

Ollivier, Albert 77

Paulhan, Jean 77, *78*
Pétain, Philippe 56
Picasso, Pablo (Pablo Ruiz y Picasso) 60
Plutarch 67
Politzer, Georges 28
Proust, Marcel 118

Queneau, Raymond 60, 113, *61*

Sade, Donatien-Alphonse-François, Marquis de 113, *112*
Salacrou, Armand 60
Sarraute, Nathalie 73
Sartre, Jean-Paul 20, 28, 29, 31, 32f, 45f, 53f, 58, 59f, 62, 66f, 75, 77f, 80, 85f, 89, 90, 92, 94f, 98f, 100f, 104, 105, 108, 113, 115, 128, 135f; Anm. 66, 88, 93, 95, 96, 98, 99, 135; *33, 34, 35, 40, 41, 42, 43, 88, 89, 91, 95, 114, 117, 130, 131, 132*
Schlocker, Georges Anm. 294
Schwarzer, Alice 126; Anm. 61, 390
Stalin, Josef W. (Iossif V. Džugašvili) 89

Valéry, Paul-Ambroise 26, 46
Vian, Boris Paul 66
Vian, Michelle 103, 135

Woolf, Virginia 118

Über die Autorin

Christiane Zehl Romero wurde 1937 in Wien geboren. Sie studierte an der Wiener Universität Anglistik, Germanistik und Romanistik und promovierte über die englische Romanautorin Elizabeth Gaskell. Aufenthalt in Paris und drei Jahre Studium der Vergleichenden Literaturwissenschaft an der Yale University in den USA, wo sie auch als Lektorin tätig war, vertieften ihre Sprach- und Literaturkenntnisse. Sie ist mit dem amerikanischen Romanisten und Molière-Forscher Laurence Romero Jr. verheiratet und lebt gegenwärtig in Boston, wo sie an der Tufts University lehrt. 1993 erschien bei Rowohlts Monographien ihr Band über Anna Seghers (rm 464).

Quellennachweis der Abbildungen

dpa Hamburg, Bildarchiv: 131, 134
Simone de Beauvoir, Privatbilder: 6, 8, 9, 12, 14, 16, 17, 19, 20, 23, 34, 35, 38, 54, 55, 57, 83, 88, 91, 93, 95, 97, 115, 122, 127, 135
Ullstein Bilderdienst, Berlin: 10
H. Roger Viollet, Paris: 11, 25, 26, 27, 46, 61 rechts, 62, 63, 114
Gallimard: 29, 47, 77, 78 rechts, 107, 112
Photo Jacques Robert (Éditions Gallimard): 33, 42, 43, 60 links, 78 links, 130, 132
Gisèle Freund: 41, 42, 101, 102, 103, 109, 111, 116, 119, 133
Photo André Bonin (Éditions Gallimard): 60 rechts, 61 links
Stiftung Deutsche Kinemathek, Berlin: 71
Bilderdienst Süddeutscher Verlag, München: 89, 117